D1002469

C'EST LA FAUTE À PATRICK ROY

Catalogage avant publication de Bibliothèque et Archives nationales du Québec et Bibliothèque et Archives Canada

Gélinas, Luc, 1965-

C'est la faute à Patrick Roy

Suite de : C'est la faute à Carey Price.
Pour les jeunes.

ISBN 978-2-89723-327-3

I. Titre.

PS8613.E453C48 2014	jC843'.6	C2014-940298-8
PS9613.E453C48 2014		

Les Éditions Hurtubise bénéficient du soutien financier des institutions suivantes pour leurs activités d'édition :

– Conseil des Arts du Canada ;
– Gouvernement du Canada par l'entremise du Fonds du livre du Canada (FLC) ;
– Société de développement des entreprises culturelles du Québec (SODEC) ;
– Gouvernement du Québec par l'entremise du programme de crédit d'impôt pour l'édition de livres.

Maquette de la couverture : René St-Amand
Illustration de la couverture : Kinos
Maquette intérieure et mise en pages : Martel en-tête
Photographie de la page couverture : Sandra Charette

ISBN 978-2-89723-327-3 (version imprimée)
ISBN 978-2-89723-328-0 (version numérique PDF)
ISBN 978-2-89723-329-7 (version numérique ePub)

Dépôt légal : 2e trimestre 2014

Bibliothèque et Archives nationales du Québec
Bibliothèque et Archives Canada

Diffusion-distribution au Canada :
Distribution HMH
1815, avenue De Lorimier
Montréal (Québec) H2K 3W6
www.distributionhmh.com

Diffusion-distribution en Europe :
Librairie du Québec/DNM
30, rue Gay-Lussac
75005 Paris FRANCE
www.librairieduquebec.fr

Imprimé au Canada

www.editionshurtubise.com

Luc Gélinas

C'EST LA FAUTE À PATRICK ROY

Hurtubise

Journaliste sportif bien connu, **Luc Gélinas** travaille pour RDS depuis plus de vingt ans. Il est l'auteur des deux tomes de *La LNH, un rêve possible,* qui retrace les parcours dans le hockey mineur de quatorze joueurs professionnels. *C'est la faute à Patrick Roy* est la suite des best-sellers *C'est la faute à Ovechkin, C'est la faute à Mario Lemieux* et *C'est la faute à Carey Price.* Une série enlevante qui se déroule dans les coulisses de la LHJMQ.

À Line et Annie, qui êtes beaucoup plus que des sœurs pour moi.

Vous êtes mes amies, confidentes, conseillères et complices. Si nous formons une famille unie qui vit dans l'amour et la solidarité, c'est surtout grâce à notre mère Jacqueline qui nous a toujours aimés si fort en ne perdant jamais sa joie de vivre, même dans l'adversité. Merci, maman, d'avoir toujours été là pour veiller si tendrement sur nous, sûrement parfois avec l'aide d'un ange nommé André, ton mari, et notre papa à Line, Annie et moi.

1

Surprenant divorce à Rouyn-Noranda

Si l'information que le journaliste Christian Laperrière vient de publier sur Twitter s'avère exacte, le jeune scribe abitibien aura sûrement le mérite d'avoir sorti la plus grosse nouvelle de hockey de la semaine au Québec. Pour l'instant, ceux qui ont repris son article parlent au conditionnel et emploient le mot « rumeur », car les Huskies refusent de confirmer quoi que ce soit et Richard Caisse, qui doit toujours être considéré comme leur entraîneur-chef, ne rappelle personne. Peu importe, la source de Laperrière est crédible et ce dernier ne doute nullement de la confession qu'il a obtenue sous le couvert de l'anonymat. Même qu'avant qu'il diffuse son histoire, une deuxième personne lui a confirmé certains faits importants qui lui ont permis de faire un lien direct avec ce qu'on lui a révélé.

Malgré la confiance aveugle qu'il voue à sa source, Laperrière sera grandement soulagé quand sa primeur sera finalement validée. C'est la première fois qu'il obtient une exclusivité à l'échelle provinciale. Il trouve l'expérience gratifiante, et surtout très stressante pour le moment, puisque les principaux médias du Québec ont presque tous repris sa nouvelle.

— Allô ! lance nerveusement Laperrière en répondant à l'appel.

— J'espère que t'es pas dans le champ avec ton histoire, mon Lappy, dit Louis-Philippe Séguin à l'autre bout du fil. C'est une grosse affaire que tu avances là. Ça me surprendrait en maudit que les Huskies congédient Richard Caisse, pis ça me surprendrait encore plus que son successeur soit déjà trouvé et que ce soit Russell Toussaint.

— Je te le dis. Fais-moi confiance, Séguin, tout est réglé. Lafrenière et Caisse se sont pognés à la fin des séries éliminatoires. Paraît même que Rick a failli frapper Lafrenière. Heureusement, Chico, le préposé à l'équipement, est venu les séparer juste à temps.

— C'est lui qui te l'a dit ?

— Laisse faire qui a dit quoi ! Tu sais très bien que je ne brûlerai pas ma source.

— J'espère qu'elle est solide, ta source, parce que de mon bord, on me dit que ton scoop n'est qu'une rumeur farfelue.

— Ben oui… de ton bord. T'es à Montréal et tu viens une fois par deux ans en Abitibi ! C'est qui, tes sources à Rouyn-Noranda ? réplique Laperrière pour se défendre.

— Écoute ben, ti-gars, je couvrais cette ligue-là avant que t'embrasses ta première blonde ! Tous les hommes de hockey à qui j'ai parlé à travers la ligue me disent que c'est impossible que le contrat ait été cassé. Premièrement, c'est pas logique que Caisse lâche la job en acceptant de laisser autant d'argent sur la table. Deuxièmement, si l'empoignade avec Caisse a réellement eu lieu, pourquoi est-ce que Lafrenière aurait attendu un mois avant de le mettre dehors ? Troisièmement, dis-moi donc ce qu'une ancienne vedette de la Ligue nationale comme Russell Toussaint aurait à gagner en allant coacher dans un trou comme Rouyn-Noranda ? Vous êtes tous pareils, les gars des régions… pas capables de prendre du recul !

— S'il veut coacher dans la Ligue nationale un jour, faut qu'il commence quelque part. Et ce n'est pas un imbécile, Toussaint. Les Huskies vont avoir une méchante bonne équipe l'an prochain. À part ça, t'es pas obligé de me croire ! T'as qu'à écrire qu'une fausse rumeur ridicule circule en Abitibi, une région éloignée au nord de Montréal.

— C'est ce que je devrais faire, mais vu que je t'aime bien, je vais me contenter de ne pas en parler ! Pis, dans le fond, tant que je n'en parle pas à Montréal, la nouvelle n'existe pas vraiment.

Quand il éteint son téléphone, Laperrière est encore plus crispé, car Séguin a semé un doute dans son esprit. Il n'a jamais su comment cerner ce confrère montréalais, un être vaniteux et arrogant qui regarde les journalistes des régions de haut comme s'il leur était supérieur et qu'il n'y avait point de salut hors de la métropole. Paradoxalement, Séguin peut souvent se montrer gentil et bienveillant, mais il est tout simplement incapable de ne pas avoir régulièrement recours au sarcasme et à l'ironie. C'est comme s'il avait volontairement choisi, il y a plusieurs années, de camper un rôle de vilain… un rôle qui lui va à ravir !

Pendant que Laperrière repense à ce que lui a mentionné son informateur, son portable sonne à nouveau. C'est la folie depuis qu'il a lancé l'information sur le changement de garde derrière le banc des Huskies. Cette fois, c'est un de ses copains, agent immobilier.

— Salut, Chris ! C'est Mathieu Campeau. J'ai vérifié ce que tu m'as demandé et t'as raison, chummy !

— *Yes !* T'es certain que t'as bien vérifié ? C'est bien la maison de Caisse qui est à vendre sur la rue Chapleau ?

— Oui, mon chum. Sa cabane est à vendre depuis trois jours. Pas de pancarte pour l'instant.

C'est un de mes chums qui a le contrat. Le gars se nomme Philippe Lehoux et Caisse lui a dit qu'il voulait avoir vendu le 1er août au plus tard. Mais ça ne devrait pas être difficile. Il a fixé un prix de vente et ils ont déjà eu deux visites.

Comme Laperrière raccroche, son téléphone vibre à nouveau. Deux messages sont rentrés pendant qu'il parlait avec son ami Campeau. En y jetant un coup d'œil furtif, le journaliste constate qu'un des courriels provient du bureau des Huskies. Nerveusement, il s'empresse d'ouvrir le lien. C'est la confirmation qu'il attendait si impatiemment !

Communiqué de presse

Huskies de Rouyn-Noranda, LHJMQ

Le directeur général des Huskies de Rouyn-Noranda, Dany Lafrenière, convoque les médias à une conférence de presse qui se déroulera à 16 h à l'aréna Iamgold. Une importante annonce sera faite et, après son allocution, monsieur Lafrenière sera disponible pour répondre aux questions des journalistes. Richard Caisse sera également présent.

Autant ce communiqué de presse le soulage, autant Laperrière aurait souhaité que les Huskies réagissent un peu plus tard. Il doit admettre qu'il ne leur a pas laissé le choix en publiant la nouvelle sur Internet ; Lafrenière se devait de réagir rapidement.

Le problème, c'est qu'à compter de seize heures, quand l'organisation aura officiellement annoncé le départ de Caisse, plus personne ne lui donnera de crédit pour avoir obtenu la primeur. Son scoop n'aura vécu que deux heures... Ce qui, à bien y penser, n'est quand même pas si mal puisque les Huskies auraient aisément pu se contenter de divulguer dès maintenant toutes les informations pertinentes sur leur propre site Web. Peu importe, ce sera quand même une immense victoire personnelle lorsque Séguin lui présentera ses excuses !

Malgré la petite heure d'avis, tous les journalistes sportifs de l'Abitibi ont trouvé le moyen de se libérer afin d'assister à la conférence de presse des Huskies. Même le vétéran chroniqueur Raymond Carrier, qui devait partir pour quatre jours de vacances à son camp de pêche, a repoussé son départ d'une journée. Dorénavant, plus personne ne doute de la véracité des faits avancés par Christian Laperrière. Ce divorce à l'amiable demeure néanmoins incompréhensible pour l'instant.

Un peu gêné par cette attention soudaine, Laperrière se fait cuisiner de tous les côtés. Chaque collègue qui l'aborde use de la même stratégie. On le félicite puis on s'empresse de le bombarder de questions vraiment pas subtiles visant à essayer de découvrir l'identité de sa source. Quelques minutes après seize heures, l'annonceur maison des Huskies s'amène au micro. Tout le monde s'assoit et, après les présentations d'usage, Dany Lafrenière prend la parole :

— Je vous remercie d'être ici et je vous demande de nous excuser de vous avoir convoqués à la dernière minute. Il n'y avait pas de conférence de presse prévue aujourd'hui, sauf qu'il y a eu des fuites à l'interne. Comme plusieurs personnes sont concernées par les rumeurs qui circulent depuis le début de l'après-midi, il est extrêmement important pour nous de mettre les pendules à l'heure le plus rapidement possible, lance le directeur général en lisant ses notes.

Sans lever les yeux de sa feuille, Lafrenière explique ensuite que la dernière saison n'a pas été très ardue que sur la patinoire. Dans les bureaux, Richard Caisse et lui n'étaient plus sur la même longueur d'onde et, après l'élimination de l'équipe au premier tour des séries, les deux hommes avaient convenu de prendre un mois de réflexion avant de se revoir pour évaluer s'ils souhaitaient continuer à faire route ensemble.

— N'allez pas croire que c'est la guerre entre nous. On n'est même pas en chicane. D'ailleurs, si c'était le cas – vous connaissez Richard –, pensez-vous qu'il serait assis ici, à côté de moi ? précise Lafrenière en dérogeant de son texte, ce qui provoque un éclat de rire général dans la salle. On s'est vus il y a deux jours pour faire le point et on a convenu de mettre un terme à notre association. Chacun de notre bord, on avait tendu des perches à gauche et à droite, c'est sûrement pour ça qu'il y a eu des fuites aujourd'hui, ajoute-t-il en tournant résolument les yeux vers Laperrière. Au final, le résultat est qu'on a tous les deux trouvé des options qui nous permettent de croire que c'était la meilleure décision à prendre.

— Richard, abandonnes-tu complètement le coaching ou as-tu l'intention de te chercher une job ailleurs ? demande le journaliste Gabriel Gauthier.

— Pour être honnête, je ne serais pas parti avec encore deux saisons à écouler à mon contrat. Je considère que les Huskies seront compétitifs la saison prochaine et que les jeunes auront atteint une belle maturité dans deux ans. Comme Dany l'a expliqué, nous n'avions plus exactement la même philosophie. Alors, je préfère partir en bons termes aujourd'hui plutôt que de me faire mettre dehors dans une couple de mois ! lance Caisse sur un ton moqueur qui déclenche du même coup un second éclat de rire général. Mais vous allez encore m'avoir dans les pattes, car je m'en vais à Rimouski, où je serai entraîneur-chef et directeur général. L'annonce devait se faire là-bas et c'est dommage pour les gens de l'Océanic, mais ils comprennent ce qui arrive aujourd'hui.

Un bref silence suit cette dernière phrase. Voilà qui explique maintenant bien des choses. Si Caisse a accepté de briser son contrat avec les Huskies, c'est aussi parce qu'il améliore son sort en allant occuper les doubles fonctions dans le Bas-du-Fleuve. Et, en prime, sa nouvelle équipe sera une aspirante potentielle à la Coupe Memorial dès cette année.

— Monsieur Lafrenière! Qui va remplacer Richard Caisse derrière le banc des Huskies? demande nerveusement la jeune journaliste Marianne Fontaine qui profite de cette accalmie pour enchaîner avec la question que tous se posent.

— J'allais y arriver, mademoiselle. Il est évident qu'on ne remplace pas facilement un entraîneur d'expérience comme Richard. Toutefois, je suis vraiment fier de vous annoncer que Russell Toussaint, l'ancienne grande vedette des Stars de Dallas et membre du Temple de la renommée du hockey, est le nouveau coach, ici, chez nous à Rouyn-Noranda!

Après des applaudissements nourris provenant du fond de la salle où se sont entassés des membres de l'organisation, Laperrière, un sourire de satisfaction aux lèvres, lève la main et enchaîne avec une autre question.

— Est-ce que vous avez rencontré plusieurs candidats avant d'arrêter votre choix sur Toussaint?

— Comme vous le savez, Russell est un Franco-Ontarien originaire de Hearst et il a joué son hockey junior avec les Rangers de Kitchener. L'an passé, quand on s'est rendus en finale de la Coupe Memorial, j'ai eu la chance de jaser avec lui à quelques reprises puisqu'il était là pour soutenir son ancien club. À un certain moment, il m'a confié qu'il aimerait peut-être tenter sa chance comme entraîneur et je ne l'ai jamais oublié. Je l'ai contacté il y a une dizaine de jours et je suis allé le rencontrer chez lui au début de la semaine. J'espérais que le défi l'intéresserait, car on partage la même vision du hockey. Il a accepté mon offre le lendemain et je n'ai eu à rencontrer personne d'autre. Il était le seul candidat sur ma liste et je suis certain qu'il va faire un travail incroyable avec les Huskies.

— Une légende du hockey derrière le banc, ça va vous aider à vendre des abonnements de saison, je suppose, lance Raymond Carrier.

— Je ne peux pas vous cacher que, point de vue marketing, c'est un gros coup pour nous, répond Lafrenière qui s'attendait à cette question. Par contre, c'est simplement un bonus. Sincèrement, c'est d'abord et avant tout pour ses qualités d'entraîneur que je l'ai engagé.

— Sauf qu'il n'a jamais coaché, interrompt Carrier sans retenue.

— Raymond, t'es plus intelligent que ça ! réplique prestement le directeur général, qui n'en est pas à une première prise de bec avec ce journaliste à l'approche de la retraite. Le gars a joué dans la Ligue nationale pendant seize ans, il détient presque tous les records à Dallas, c'est un passionné et un excellent communicateur, enchaîne Lafrenière. Quand il va parler, les joueurs vont l'écouter. Tu sais très bien que c'est un privilège de l'avoir avec les Huskies.

Une quinzaine de minutes plus tard, Richard Caisse quitte l'aréna Iamgold en remerciant tout un chacun, mais en promettant toutefois, sourire aux lèvres, qu'il sera sans pitié quand il reviendra à Rouyn-Noranda à la barre de l'Océanic. Pour leur part, les journalistes suivent Dany Lafrenière jusque dans son bureau où ils pourront maintenant s'entretenir avec Russell Toussaint dans le cadre d'une conférence téléphonique.

2

De retour avec les Huskies

Félix dépose son sac de golf sur la banquette arrière de la voiture en maugréant. Les étroites allées du club de golf Ki-8-Eb de Trois-Rivières ont été sans pitié. Ailleurs, il s'en serait peut-être tiré à meilleur compte et il n'aurait pas perdu une demi-douzaine de balles. Moins long, mais plus précis sur ses coups de départ, Carl a rapporté une carte de pointage nettement plus encourageante. En enfilant ses sandales, Félix continue de marmonner. Il a mal joué, il fait chaud, il a faim et il s'apprête à s'asseoir dans une voiture qui empeste.

— Sérieux, *man*, je comprends pas comment tu fais pour embarquer là-dedans tous les jours. Y a des vidanges partout, y a des vêtements qui traînent, pis ça pue en plus. Pourquoi tu fais pas un beau gros ménage, Carl ? demande Félix en refermant la portière.

— C'est à l'envers, mais c'est pas vrai que ça pue ! Et considérant que t'as une auto, mais qu'on prend toujours la mienne, je te trouve pas mal chialeur !

Un à zéro pour Carl. Félix se contente de hocher la tête sans répondre. Ce n'est quand même pas la faute de son meilleur ami s'il a joué une ronde de 96, sa pire partie depuis deux ou trois ans. Alors que la voiture s'engage sur le boulevard des Forges, il se tourne vers l'arrière, étire le bras droit et fouille dans la petite poche avant de son sac de golf pour y saisir son téléphone portable.

— Ayoye ! Il se passe quelque chose, *man*. J'ai cinq appels manqués, trois messages dans ma boîte vocale et six textos. J'espère que j'ai pas été échangé ! s'écrie Félix, paniqué.

— Tu dis n'importe quoi ! Pourquoi les Kings voudraient t'échanger ? Ils viennent tout juste de te repêcher !

— Pas les Kings… les Huskies, répond Félix sans se tourner vers son ami. Wow… Richard Caisse lâche les Huskies pour devenir directeur général et coach des Nics ! lance-t-il avec stupéfaction en découvrant progressivement la teneur de ses messages texte. Et devine qui va le remplacer en arrière du banc à Rouyn-Noranda ? demande-t-il à Carl en affichant son premier sourire de l'après-midi. Russell Toussaint ! Maintenant, mon coach, c'est Russell Toussaint ! s'exclame-t-il avec enthousiasme sans avoir donné à son copain la chance de trouver la réponse. Te rends-tu compte, Carl ? C'est une maudite bonne nouvelle pour moi, ça. On est le même genre de joueurs, c'est sûr qu'il va m'aimer au boutte, *man*. Wow… Russell Toussaint à Rouyn-Noranda, je capote !

Plus ou moins concentré sur la route, Carl écoute attentivement Félix qui se réjouit manifestement de cette nouvelle inattendue. Pressé de découvrir ce que ses amis lui ont écrit pendant qu'il foulait les allées (et surtout les sous-bois) du Ki-8-Eb, Félix survole rapidement ses courriels avant d'écouter les messages laissés dans sa boîte vocale. Son agent Christian Champagne a été le premier à le joindre, tout juste avant ses deux coéquipiers de l'Abitibi, Lukas Denommé et Loïc Penosway, qui avaient déjà eu vent de la nouvelle en milieu d'après-midi. Il parcourt ensuite son compte Twitter pour découvrir que tout le monde ne parle que du départ de Caisse et de la venue de Toussaint. Avoir su qu'il jouerait si mal, il serait resté à la maison pour suivre l'histoire en même temps que tout le monde.

FélixRiopel @Rippy57

Bonne chance à Richard Caisse et merci pour tout. Hâte maintenant de jouer pour @RussellToussaint

Frénétiquement, Félix fait danser ses deux pouces sur son iPhone. En fait, ça ressemble beaucoup plus à une gigue qu'à une danse élégante. Pendant qu'il s'empresse de communiquer avec ses coéquipiers, il se remémore avec Carl certaines pièces de jeu spectaculaires de Toussaint. Joueur de centre flamboyant, il a été l'un des meilleurs de sa génération avant de prendre sa retraite, un peu trop tôt, il y a trois ans. Le capitaine des Stars aurait pu connaître encore quelques saisons de qualité, sauf qu'il a préféré se retirer dans la gloire après une année très respectable où il avait amassé 17 buts et 39 passes pour une récolte totale de 56 points. Alors qu'il examine les statistiques de son nouvel entraîneur sur le communiqué de presse des Huskies qu'il a reçu par courriel, Félix sent soudainement son téléphone vibrer, ce qui, du coup, lui fait réaliser qu'il n'a pas remis la sonnerie en fonction après sa ronde de golf. C'est le journaliste Louis-Philippe Séguin qui tente de le joindre.

— Regarde qui me téléphone, dit Félix en montrant rapidement son iPhone à Carl. Louis-Philippe Séguin veut me parler… Je suis rendu plutôt *big*!

— Il veut peut-être savoir combien t'as joué au golf! répond Carl en riant.

Après avoir expliqué qu'il est encore un peu sous le choc puisqu'il vient à peine d'apprendre la nouvelle, Félix ne cache pas son enthousiasme devant l'arrivée de Toussaint. Comme il vient tout juste de lire le communiqué de presse, il peut appuyer ses commentaires élogieux en se basant sur des faits pertinents et des statistiques.

— En plus de ses records et de sa coupe Stanley avec les Stars, faut pas oublier que notre nouveau coach a déjà gagné une médaille d'or aux Jeux olympiques. Je suis certain que Russell Toussaint va amener beaucoup d'expérience et j'ai vraiment hâte de jouer pour lui.

— Pis Caisse? Paraît que c'était pas le bonheur, vous deux, déclare Séguin sans détour.

— Je n'ai aucune idée pourquoi vous dites ça, je pourrai jamais rien dire contre Richard Caisse, réplique Félix du tac au tac. Il m'a pris dans son club alors que j'avais seize ans et on a failli gagner la Coupe Memorial ensemble. J'ai énormément appris avec lui et c'est le meilleur motivateur que j'aie connu dans ma vie. Il ne met pas souvent de gants blancs, mais c'est correct. Avec lui, y avait jamais de zones grises et tu savais à quoi t'attendre.

Le lendemain, en parcourant les journaux et les sites Internet qui traitent de la nouvelle, Félix s'aperçoit, à sa grande déception, que tous les journalistes qui lui ont parlé ne mentionnent que ses commentaires sur Toussaint. Pas un seul petit mot sur ce qu'il pense de Richard Caisse. Par contre, s'il avait osé le critiquer, ses propos auraient sûrement fait la manchette… C'est ce que Félix reproche aux journalistes. Ils se donnent le droit de vie ou de mort sur la nouvelle. Ils décident de ce qui est intéressant en fonction du tirage de leurs journaux, de leurs cotes d'écoute ou du nombre d'internautes qui visiteront leurs pages. Quand un joueur ou un entraîneur dit du mal d'un rival, ils montent ça en épingle et en parlent pendant une semaine. Si un de ses coéquipiers ou lui-même relate une anecdote savoureuse ou raconte une bonne blague, les médias vont s'en délecter. Si un joueur surmonte une épreuve personnelle ou qu'il subit une blessure grave, les reporters vont beurrer épais en se réjouissant d'avoir du *human interest* entre les mains.

Félix n'a peut-être que dix-huit ans, mais il a déjà compris tout ça depuis longtemps. Par conséquent, il a changé sa façon de se comporter devant les représentants de la presse la saison dernière. Même que, maintenant, il s'amuse parfois à essayer de deviner les manchettes du lendemain. Après les entraînements, avant de filer sous la douche, il aime souvent écouter ce que ses coéquipiers révèlent aux journalistes, dans le vestiaire. Cédrick Loiselle et Lukas Denommé sont toujours les plus sollicités. Confiants, un brin arrogants et s'exprimant avec aisance, ils ont des opinions sur tout ce qui touche le hockey. Ils agissent d'ailleurs de la même manière sur leur compte Twitter, ce qui les amène régulièrement à devoir fournir des explications après avoir émis des commentaires souvent farfelus et inutiles.

Richard Caisse est celui qui fascine (ou fascinait) le plus Félix. Sous ses apparences de personnage grognon, revanchard et colérique, il effectue rarement une sortie improvisée devant les médias. En choisissant les mots appropriés, la bonne intonation ainsi qu'un langage coloré, saupoudré de figures de style amusantes et de métaphores percutantes, il réussit toujours à faire passer son message par l'intermédiaire des journalistes, qu'il manipule habilement sans le moindre scrupule.

— T'es encore dans la lune, le frère!

Perdu dans ses pensées, Félix le rêveur n'a même pas entendu sa sœur Véronique l'interpeller en ouvrant la porte du réfrigérateur. Pour lui, elle est encore sa petite sœur Véro. Pour les autres garçons de son âge, c'est la belle Véronique. Trop occupé à mener sa propre vie à 700 kilomètres de la maison, trop concentré sur ses défis personnels, trop obnubilé par son rêve de jouer dans la LNH, il n'a même pas réalisé que la petite gamine qui prenait un malin plaisir à l'emmerder a disparu. Véronique est devenue une ravissante jeune femme aux yeux de tous, sauf de son propre frère.

— Ben voyons! À quoi tu penses, toi, ce matin? demande-t-elle en parlant plus fort, un peu craintive de faire sursauter Félix.

— Pas besoin de crier. Je pense à rien de spécial, se contente de répondre Félix.

— Ça doit pas être beau quand t'as besoin de te concentrer ! Ça fait trois fois que je te demande comment ça va !

— Ben oui, ça va. J'étais juste en train de penser à notre nouveau coach.

— C'est bon pour toi, ça, il me semble, non ? commente Véronique tout en versant du lait écrémé dans son bol de céréales.

— Mets-en que c'est bon ! On ne savait jamais sur quel pied danser avec Caisse. Dans la catégorie "air bête", ce gars-là est dur à battre. J'ai toujours eu le feeling qu'il ne m'a jamais vraiment aimé. Pis ça date pas d'hier. Tu te souviens, au repêchage junior, il m'avait presque envoyé promener à la table des Huskies parce que j'étais trop petit pour ses standards. Quand même, je pense qu'il me respectait… c'est au moins ça. Maintenant, j'ai hâte de voir comment ça va aller avec le nouveau.

Au-delà du changement de garde derrière le banc des Huskies, il y a eu plusieurs bouleversements dans la vie de Félix au cours des dernières semaines. Depuis qu'il a été repêché par les Kings, son statut social a changé d'un coup. C'est surtout le regard que les autres posent sur lui qui est différent. Il apprivoise rapidement cette nouvelle vie de futur joueur professionnel et les nombreux avantages qu'elle comporte, comme d'être occasionnellement invité à jouer gratuitement dans des tournois de golf… ou de voir à l'occasion des filles qu'il ne connaît même pas venir l'aborder! Autre nouveauté non négligeable, il possède sa propre voiture. Et ce n'est pas un luxe, car il doit dorénavant se déplacer en dehors de Louiseville presque chaque jour.

Cet été, il ne se rend plus au vétuste centre de conditionnement physique Chez Mario. Dès qu'il a accepté de s'associer avec Christian Champagne, ce dernier s'est empressé de lui fournir de nouvelles ressources pour l'aider à s'améliorer le plus rapidement possible. Depuis son retour au bercail au début de juin, quatre fois par semaine, Félix va donc à Trois-Rivières pour travailler sous la supervision de Frédérick Dubé. Entraîneur renommé, Dubé ne prend sous son aile que des athlètes d'élite et construit des programmes en fonction des besoins spécifiques de chaque individu. Dans le cas du jeune espoir des Kings, l'objectif est d'augmenter la masse musculaire de ses membres inférieurs pour l'amener à être plus explosif dans ses départs sur la patinoire. En renforçant ses jambes et ses muscles fessiers, il devrait aussi améliorer sa stabilité, ce qui le rendra plus solide dans ses luttes le long des rampes.

Les lundis et jeudis, Félix prend la direction de Montréal pour des séances de patinage intensif sous la férule de Scott Harrington, un entraîneur spécialisé dans le domaine. Les premiers périples ont été un peu hasardeux et, n'eût été du GPS que sa mère lui a offert en cadeau lorsqu'il a acheté sa voiture, il serait probablement arrivé vingt-quatre heures en retard pour sa première clinique dans la métropole!

S'il ressent physiquement le fruit de ses efforts, cet été, la plus grande différence se manifeste sur le plan psychologique. Bien que son agent s'évertue à lui répéter que d'avoir été repêché par une formation de la LNH ne garantit rien, le jeune attaquant a quand même le sentiment de maintenant faire partie d'une autre catégorie de joueurs: un groupe sélect d'espoirs de la LHJMQ sur qui les projecteurs sont braqués. Même s'il a déjà une haute estime de lui-même, le fait d'avoir été sélectionné par les Kings renforce en Félix l'idée qu'il fait déjà partie de la future génération de vedettes de la LNH. Heureusement pour son entourage, cette attitude ne se transpose pas dans la vie de tous les jours.

En fait, il n'est ni pire ni mieux qu'avant! Aux yeux de sa sœur Véronique, Félix reste le grand frère un peu attardé pour qui le hockey demeure la seule véritable raison de vivre. Vaniteux et confiant, mais à la fois facile à déstabiliser quand on sait s'y prendre, Félix n'a pas changé d'un iota, à son avis. Quand elle décide de le faire sortir de ses gonds, il suffit parfois d'un simple regard pour qu'il s'emporte.

Pour Carl, il reste ce meilleur ami à qui l'on peut tout confier. Qu'il appartienne aux Estacades du Cap-de-la-Madeleine, aux Huskies de Rouyn-

Noranda ou aux Kings de Los Angeles, Félix occupe encore aujourd'hui le rôle de complice. Depuis l'âge de dix ans, les deux gars partagent tous leurs secrets, leurs projets et leurs multiples manigances.

Line vit les choses un peu différemment. Son fils de dix-huit ans se détache progressivement d'elle depuis deux ans. Sa douce présence maternelle semble parfois l'étouffer et elle perçoit chez lui un immense besoin de liberté. C'est normal, se dit-elle, essentiellement pour se réconforter, car d'aussi loin qu'elle se souvienne, Félix a toujours été un peu rebelle avec tous ses entraîneurs et, à la maison, c'est elle qui remplit ce même genre de fonction ingrate. L'attitude de ses enfants la déçoit depuis quelque temps, mais toutes ses amies vivent sensiblement le même genre de frustrations avec leurs adolescents. Quand Line acquiesce aux demandes de Félix ou de Véronique, la logique est respectée, car c'est la réponse qu'ils attendaient. En revanche, si elle ose se dresser contre une de leurs idées, les réprimander ou refuser de leur donner de l'argent, elle devient du coup la vilaine qui ne comprend rien de leur « triste » réalité.

Ça a toujours accroché un peu plus avec Félix. Plus chétif que les joueurs de son âge, il s'est vite forgé une carapace pour se protéger. Dans ce rôle qu'il a lui-même décidé de tenir, son talent démesuré n'était pas suffisant. Vers l'âge de dix ans, il a commencé à en rajouter pour narguer l'adversaire…

et, parfois, ses propres coéquipiers. Comme son défunt mari André et elle n'ont jamais accepté qu'il rabaisse une autre personne, Félix a donc développé très jeune la mauvaise manie de se vanter.

« As-tu déjà entendu Sidney Crosby dire qu'il est meilleur que les autres ? lui demandait son père presque chaque semaine. Non. Et il n'a pas besoin de le faire. Tout le monde autour de lui se charge de le louanger. Quand on ressent le besoin de dire qu'on est bon, c'est parce qu'on est ordinaire et qu'on doute de soi. »

En théorie, ces sages paroles auraient dû faire entendre raison à leur rejeton. En pratique, ça n'a pas réellement fonctionné !

Après un match, quand Félix commençait à énumérer ses beaux jeux, son père répliquait donc en lui rappelant chacune de ses petites erreurs. Ce faisant, les parents espéraient provoquer un retour du balancier. Faisant front commun, ils n'ont jamais hésité une seule seconde à faire redescendre Félix sur terre chaque fois qu'il commençait à se glorifier lui-même, avec comme résultat qu'ils se sont un jour aperçus qu'ils passaient le plus clair de leur temps à rabaisser leur propre fils. Ce n'était sans doute pas la meilleure méthode, mais à l'époque, c'était la seule qui leur paraissait logique. À force de frapper sur le clou, Félix a lentement fini par comprendre. Tout en demeurant toujours aussi confiant en ses moyens, il a fini par réaliser qu'il était préférable de rester modeste malgré ses belles réussites et ses folles ambitions. C'est probablement ce qui explique pourquoi sa sélection par les Kings ne lui est pas montée à la tête.

De toute façon, Félix sait parfaitement qu'il n'effectuera qu'un bref passage en Californie pour participer au camp des recrues. C'est un bel honneur d'avoir été sélectionné, mais il n'est pas dupe. Même s'il s'est entraîné comme un forcené et qu'il a démontré beaucoup de discipline pendant tout l'été, il sait qu'il a encore énormément de croûtes à manger avant de pouvoir espérer tenir son bout contre les meilleurs joueurs du monde, dans la Ligue nationale.

Encore une fois, l'été finit très tôt pour Félix et les autres joueurs qui participeront à des camps de la LHJMQ. Les clubs doivent se prononcer très rapidement pour faire leurs sélections finales, puisque toutes les décisions doivent être prises avant la date limite des inscriptions au cégep.

À la mi-août, deux semaines avant de s'envoler vers Los Angeles, Félix reprend donc la route vers le nord pour se rapporter à son équipe junior. C'est la première fois qu'il effectue ce long trajet au volant. Un peu nerveux à l'idée de peut-être voir un chevreuil ou un orignal sortir du bois, il conduit de façon vigilante tout en pensant à ceux qu'il laisse derrière et à ce qu'il sera appelé à vivre au cours des prochains mois.

Chaque nouvelle saison apporte son lot de défis et ce ne sera pas différent cette année à Rouyn-Noranda. Quinzièmes au classement général l'an passé, les Huskies ont de plus grandes ambitions et, individuellement, le petit numéro 57 s'est aussi fixé de grands objectifs. Même s'il ne l'avouera jamais publiquement et qu'il ne le confiera à aucun de ses coéquipiers, le nouvel espoir des Kings vise rien de moins qu'une récolte de 80 points en 68 parties, ce qui devrait le placer parmi les 20 meilleurs marqueurs du circuit. Toutefois, Félix déchante vite quand il rencontre Russell Toussaint, la veille de l'ouverture du camp.

Le nouvel entraîneur des Huskies a convoqué une demi-douzaine de vétérans à son bureau pour des entretiens privés en début de soirée. Félix est le dernier à défiler dans son bureau après le gardien Francis Ouellet, les défenseurs Lukas Denommé et Cédrick Loiselle, le capitaine Mathieu Archambault, qui reviendra comme joueur de vingt ans, et Dylon Vanelli.

Signe du changement de garde derrière le banc, Félix constate que la pièce a été entièrement repeinte et redécorée. Les vieilles photos ont été retirées. La maxime préférée de Richard Caisse (*Tu peux jouer avec une mauvaise épaule ou une mauvaise jambe. Tu ne peux jamais jouer avec une mauvaise attitude!*), inscrite en grosses lettres sur le mur du fond, a disparu sous les coups de rouleau. Le vieux tapis brun tout taché a été arraché et remplacé par des lattes de bois franc. Plus rien n'est pareil. La vieille cafetière verte posée sur une tablette chancelante a été jetée aux ordures et a cédé la place à une scintillante machine à expresso qui trône au sommet d'une belle étagère neuve. Le petit réfrigérateur brun qui servait à garder quelques bières au froid n'est plus là. Le ventilateur qui tournait lentement au plafond a été décroché, tout comme les tubes fluorescents. Le mythique et intimidant bureau de l'entraîneur-chef des Huskies a maintenant des allures de cabinet d'avocat.

— C'est pas le même bureau que l'an passé, lance Félix après les salutations d'usage.

— Bienvenue dans les années 2000, jeune homme, déclare Toussaint en se laissant tomber dans le fond de son confortable fauteuil en cuir noir. C'est pas juste mon *office* qui a changé. C'est toute la mentalité de l'organisation qui va changer. Je sais que l'ancien coach a fait de bonnes choses ici, sauf que de nos jours, on ne dirige plus une équipe de hockey en intimidant, en criant pis en jouant au *tough* avec des jeunes. L'approche envers les joueurs va être différente, comme la façon de s'entraîner sur glace et hors glace. On va aussi modifier notre manière de jouer la *game*. On n'est plus en 1970 et, d'ailleurs, c'est fini les histoires d'appeler le coach "monsieur". Maintenant, tu vas m'appeler "Russ".

— J'ai hâte de voir ça, répond Félix qui ne sait trop quoi dire de plus.

— J'ai visionné une bonne vingtaine de vos matchs de l'an passé, reprend l'entraîneur. Prends-le pas mal, mais tu ne sais pas jouer au hockey. C'est clair que t'as un énorme talent, mais il faut que tu réapprennes à jouer. T'es chanceux d'être tombé sur moi, car je vais te reprogrammer au complet et tu vas devenir un vrai bon joueur.

— Je comprends pas, réplique Félix, qui cesse soudainement de fixer la grosse bague de la coupe Stanley que Toussaint porte à l'annulaire de la main droite. Pourquoi vous dites que je sais pas jouer ?

— Prends-le pas personnel. De ce que j'ai vu, y a personne qui sait jouer au hockey à Rouyn-Noranda. Toi, tu t'en tires mieux que certains à cause de ton talent. T'es pas le seul qui doit tout rebâtir en partant de la base, c'est la même chose pour tout le monde.

— Et c'est pour me dire ça que vous vouliez me voir ce soir, avant que le camp commence ? demande Félix, qui veut surtout savoir s'il peut disposer pour aller digérer tout ça ailleurs.

— Tu.

— C'est pour ça que tu voulais me voir ? recommence Félix.

— Pas seulement pour ça. C'est surtout parce que je veux apprendre à connaître mes leaders avant le début du camp. Tu sais, tout va aller vite à compter de demain, dit Toussaint avant de faire une pause pour avaler une gorgée d'eau. Il faut que je t'explique qu'il y a une couple d'autres affaires qui ont changé et tu vas voir, ça ne fait que commencer. Par exemple, les adjoints vont maintenant avoir moins de responsabilités. D'ailleurs, à ce sujet-là, Éric Renaud n'est plus avec nous. Un assistant, c'est amplement suffisant, et j'ai gardé seulement Pascal Milette. Sébastien Mailhot reste pour s'occuper des gardiens, mais il ne voyagera plus avec l'équipe.

Consterné, Félix s'affale dans le fond de sa chaise. Toussaint doit savoir de quoi il parle et sur le bureau, sa photo avec la coupe Stanley est là pour en témoigner. Pendant que le nouveau pilote explique sa philosophie de coaching, le jeune attaquant de dix-huit ans ne cesse de songer à cette phrase qu'il vient de se faire balancer en plein visage. *Tu ne sais pas jouer au hockey.* Et que voulait-il dire par *Je vais te reprogrammer au complet et tu vas devenir un vrai bon joueur*? Le pense-t-il vraiment? Si lui, Félix Riopel, ne sait pas jouer au hockey, qu'en est-il des trois quarts de ses coéquipiers incapables de compléter ses manœuvres? Et pourquoi les Kings auraient-ils repêché un gars qui ne sait pas jouer au hockey?

Salut Carl! Je capote, man. Le nouveau coach est bizarre. Je sors de meeting. Il m'a dit que je sais pas jouer au hockey ☹

Enfin qq' un qui pense comme moi!!! ;-)

Je suis sérieux. Il vient de me dire que je sais pas jouer?????

Toussaint a dit ça? Impossible. Je sais que tu niaises. T cave!!!

Juré. Il veut me reprogrammer pcq je sais pas jouer

Lui as-tu dit que vous avez deux styles presque pareils?

Pas osé. J'y pensais, mais j'ai choké!

Gros fif!!! ☺

Le lendemain matin, Russell Toussaint accueille tout le monde à l'aréna Iamgold pour l'ouverture officielle du camp de sélection. Cette année, ils seront 44 à se battre pour l'un des 23 postes disponibles. On retrouve à peu près les mêmes visages qu'à la fin de la saison dernière. Le directeur général Dany Lafrenière a reçu des offres alléchantes pendant l'été, mais il a refusé toutes les propositions qu'il a reçues afin de ne pas hypothéquer l'avenir de son équipe. Fait plutôt rare, aucun vétéran n'a donc changé d'adresse. Les seuls petits nouveaux qui se présentent à Rouyn-Noranda ont soit été repêchés, soit invités par l'organisation.

Félix ne sera là que deux semaines et il a l'intention de profiter de cette période pour retrouver son synchronisme avant de partir pour Los Angeles. Il compte aussi démontrer clairement à l'entraîneur qu'il erre totalement et qu'il dit n'importe quoi à son sujet quand il affirme qu'il ne sait pas jouer au hockey.

— Salut les gars ! crie Toussaint en se présentant devant le groupe. Bienvenue en Abitibi pour le camp des Huskies ! Je sais que vous me connaissez tous. Vous êtes sûrement un peu intimidés ce matin, mais essayez d'oublier mes records et ma coupe Stanley. Je suis ici en tant que coach et mon but est de vous aider à devenir de meilleurs joueurs de hockey pour qu'ensemble on finisse éventuellement par former une équipe championne. Dans le fond, je suis comme un chef d'orchestre et vous êtes les musiciens ! Le problème, c'est que vous faussez tous. Y en a pas un seul ici qui joue assez bien pour être dans mon orchestre… parce qu'avant de faire des symphonies, il faut bien maîtriser son instrument. On va donc passer énormément de temps à travailler les habiletés individuelles. Vous êtes rendus juniors pis vous avez de la misère à faire une passe soulevée… c'est pas normal, ça. Je vais consacrer beaucoup de temps à revenir à la base avec vous et quand vous serez capables de faire des jeux de routine, ce sera beaucoup plus facile de travailler sur le plan collectif.

— C'est n'importe quoi, son affaire, murmure Cédrick Loiselle à Félix accoté sur le mur du fond, tout près de lui.

— Ta gueule, Loiselle. Je suis à peu près certain qu'il parle de toi en plus ! Une passe soulevée, t'as jamais réussi ça de ta vie, répond Félix sans afficher le moindre sourire.

— Tu niaises, Riopel ? *Anyway*, je suis pas là pour faire des petits jeux de finesse. J'ai-tu l'air d'une ballerine ?

— C'est ça que je dis. C'est sûrement de toi qu'il parle.

Pendant que les deux vieux « amis » de la Mauricie se tirent la pipe, Toussaint poursuit son discours d'introduction sur un ton jovial en expliquant le déroulement du camp en détail. Félix a la nette impression que plus rien ne sera comme avant à Rouyn-Noranda.

3

Premier camp professionnel

Assis dans l'avion, le nez collé sur le hublot, Félix regarde le superbe panorama qui s'offre à lui sans se soucier de savoir si la vieille dame à sa droite aimerait elle aussi jeter un coup d'œil dehors pour admirer le paysage. Après avoir brièvement aperçu le centre-ville de Los Angeles et le Staples Center qui se dresse, isolé, en retrait sur le bord d'une autoroute large comme il n'en a jamais vu, il repère enfin l'océan Pacifique. Au même moment, l'avion s'incline doucement vers la gauche pour bifurquer vers l'aéroport.

— *We shouldn't turn and, instead, keep going until we reach Hawaii*, lui dit soudainement la septuagénaire avec qui il a conversé pendant une bonne partie de l'envolée.

Félix se tourne un instant vers elle, se contente de lui répondre par un sourire charmeur et ramène son regard vers le hublot. La dame se nomme Rachel. Elle lui a dit comment elle s'appelait au moins une demi-douzaine de fois, mais il ne s'en souvient jamais. En revanche, il n'oubliera pas de sitôt l'odeur de son parfum bon marché qui empeste encore. Son cerveau a sans doute volontairement procédé à un blocage mental pour lui permettre de survivre sans devenir fou pendant ce long vol de cinq heures. Après trente minutes, il n'écoutait plus ce qu'elle racontait. Dès que l'avion a gagné en altitude, la « sympathique » grand-mère a commencé à lui faire la conversation et elle n'a pas pris une seule petite minute de pause, comme s'il avait glissé une pièce de vingt-cinq cents dans un vieux juke-box et que celui-ci s'était mis à jouer jusqu'à la fin des temps. Félix aurait eu envie de lui dire qu'il n'en avait rien à foutre de ses histoires ennuyantes, mais il s'est contenté de lui sourire régulièrement en y allant d'un « *Oh my God* » ou un « *Are you serious ?* » à l'occasion. Jamais il n'aurait osé lui manquer de respect ou se montrer impoli à son endroit et il en paye le prix depuis presque cinq heures maintenant.

— *Look carefully, you'll see that the airport is really close to the beach.*

— *Thank you*, se borne à dire Félix sans détourner son nez de la fenêtre.

Regarder attentivement. C'est exactement ce qu'il fait en ce moment précis et c'est tout ce qu'il y a de plus évident. Vraiment, il est temps que l'avion touche le sol, car il n'en peut plus d'écouter cette dame parler sans cesse en multipliant les commentaires totalement inutiles. Plus il y pense et plus il se dit qu'il aurait dû trouver le courage de l'arrêter dès les premières minutes. Ce n'est pas l'envie qui lui manque de lui dire de se la fermer, mais il est trop tard maintenant.

Sans succès, Félix cherche la montagne où se trouvent les lettres géantes qui forment le mot « Hollywood ». Il ne voit que de l'eau à perte de vue. Puis des plages apparaissent. Du haut des airs, on dirait qu'il y a un paquet de minuscules fourmis qui se font bronzer et qui se baignent.

— *I think that's Venice Beach down here*, ajoute madame Rachel en regardant par-dessus son épaule. *That's a nice neighborhood. You have to go there during your stay in L.A.*

— *I won't have time for that*, répond sèchement Félix, exaspéré. *I told you before, I'm here for hockey, not for fun.*

La voix du commandant qui demande aux passagers de relever leur siège et de boucler leur ceinture vient le sauver. Félix soupire, laisse tomber sa tête vers l'arrière et ferme les yeux. La grand-mère parle toute seule pendant qu'il continue de faire semblant de dormir !

Au moins, pendant qu'il écoutait les anecdotes insipides de sa voisine, Félix ne pensait pas à ce qui l'attend. Maintenant qu'il feint de dormir, il se rappelle que les Kings et son agent Christian Champagne ne lui ont pas fourni énormément de renseignements. Les seules informations dont il dispose, c'est qu'il logera dans un hôtel qui se trouve rue Mariposa, à El Segundo, et que les joueurs doivent se présenter au Toyota Sports Center, situé rue Nash, à huit heures le lendemain. C'est là que se déroulera le camp d'entraînement des recrues. Félix a découvert sur Internet que cet amphithéâtre érigé près de l'aéroport, dans la banlieue sud de Los Angeles, est devenu le domicile secondaire des Kings et des Lakers de la NBA en 2000.

C'est tout ce qu'il sait. En sortant de l'avion, doit-il prendre un taxi ? Y a-t-il un autobus qui se rend à son hôtel ? Est-ce que les Kings ont envoyé quelqu'un le cueillir ? Est-ce que d'autres joueurs résident à cet hôtel ? Et demain, comment se débrouillera-t-il pour aller à l'aréna ? Est-ce qu'il y a beaucoup de circulation dans ce secteur en début de journée ? Doit-il prendre son petit déjeuner avant de quitter l'hôtel où y aura-t-il de la nourriture au complexe d'entraînement ? Il a posé toutes ces questions à son agent qui s'est contenté de lui répondre :

« Fais comme si tu devais te débrouiller tout seul. Tout va se placer dès la première journée. Tous les nouveaux sont dans le même bateau et c'est comme ça chaque année. »

Incapable de s'endormir la veille en raison du stress, Félix paierait cher ce matin pour demeurer sous les draps encore quelques minutes. Ce n'est pas qu'il s'endorme encore. Il souhaiterait tout simplement pouvoir profiter d'un peu plus de sommeil pour être au sommet de sa forme en cette journée si importante. Le réveil posé sur la table de nuit indique sept heures pile, ce qui veut dire qu'il est déjà dix heures en ce moment à Louiseville. Dans exactement trente minutes, un autobus viendra le chercher pour l'amener à destination.

— *Did you sleep well, bud?* demande amicalement son camarade de chambre Rodney Barch, un défenseur de vingt et un ans qui entame sa deuxième saison chez les professionnels.

— *Pretty well*, répond Félix en s'étirant.

Cette année, au camp des recrues des Kings, il y a huit petits nouveaux fraîchement repêchés et ils ont tous été jumelés à un vétéran qui leur servira de guide. Le jeune Québécois estime qu'il est tombé sur un chic type.

La veille, Félix s'était inquiété inutilement. Comme dans les films, un chauffeur l'attendait à l'aéroport en tenant une petite affiche sur laquelle on pouvait lire son nom et celui de Greg Zucker, un gardien de but originaire de Kelowna sélectionné l'an passé par l'organisation. Une fois à l'hôtel, une jolie femme au début de la trentaine a accueilli les joueurs avec un sourire dévastateur. Pendant qu'elle fournissait à Félix toutes les informations relatives à son séjour, il s'est efforcé de rester concentré et surtout de détourner le regard de cette invitante poitrine, trop parfaite et trop volumineuse pour être naturelle. Heureusement, la jeune femme lui a remis l'horaire du camp et, en début de soirée, le groupe d'entraîneurs devait expliquer en détail le déroulement des activités lors d'un souper qui va se tenir dans une salle de l'hôtel.

Débarqué une semaine plus tôt en Californie, Barch était déjà dans la chambre quand Félix est arrivé en milieu d'après-midi. Il l'attendait pour aller casser la croûte. En marchant vers un mini-centre commercial où l'on retrouve quelques petits restaurants, il a répondu aux nombreuses questions de Félix. Barch a payé pour les deux et il lui a en plus prodigué un paquet de conseils. Pendant que Félix repense à tout ça, la voix grave de Barch le sort de ses pensées :

— *Don't forget to bring your questionnaire*, l'avise le défenseur américain.

— *Oh ! Thank you, man, I was about to forget it*, le remercie Félix.

Il n'aurait pas fallu qu'il oublie le questionnaire qu'on lui a remis la veille après la réunion. Malgré l'aide que lui a fournie son camarade de chambre, il a eu besoin d'une bonne heure pour répondre à toutes les questions.

> **FélixRiopel** @Rippy57
>
> LA Kings rookie camp starts today. A dream come true. #ReadyToGo #Excited #Nervous #Proud

Cette année, 42 espoirs participent au camp des recrues. Treize d'entre eux ont passé la dernière saison avec le club-école de l'organisation, les Monarchs de Manchester, dans la Ligue américaine. Quatre évoluaient dans la East Coast League, trois sont invités à titre de joueurs autonomes et les vingt-deux autres sont des jeunots qui arrivent des rangs juniors, des universités américaines ou de l'Europe. De tout ce groupe, Félix est le seul joueur issu de la LHJMQ.

La première journée débute par une batterie de tests sur la glace et dans le gymnase. Autant physiquement que mentalement, il s'agit d'une étape ardue et réellement décevante pour Félix, qui constate avec stupéfaction que tous les autres joueurs sont plus forts et plus résistants que lui. Il termine presque dernier dans tous les exercices. Son âge et son gabarit expliquent ce rendement décevant et il souhaite que les membres de l'organisation en tiennent compte au moment de leur évaluation. En plus d'être désillusionné, il est plutôt inquiet, car, à la lumière de ses résultats, il se demande comment on pourra croire qu'il a travaillé comme un forcené tout l'été.

La deuxième journée se déroule beaucoup mieux pour Félix. Les espoirs sont divisés en deux groupes. Son équipe commence sur la patinoire pour une séance d'entraînement d'une heure dirigée par l'entraîneur-chef des Monarchs. Comme un preux chevalier qui revêt son armure, il oublie automatiquement l'avantage physique qu'il concède aux autres dès qu'il met ses patins et enfile son uniforme. C'est peut-être aussi parce qu'il ne remarque plus les muscles saillants des autres espoirs. Hier, il se sentait comme un enfant parmi des hommes. Ce matin, il est un joueur de hockey parmi d'autres joueurs de hockey. Confiant et plein d'énergie, il est le premier à sauter sur la glace.

Alors qu'il s'étire, il distingue un bureau avec des vitres opaques derrière un des buts, au deuxième étage. Il se dit que l'état-major des Kings y est possiblement réuni pour épier tout ce qui se passera tantôt. Sa théorie se confirme moins d'une minute plus tard quand il aperçoit Luc Robitaille qui sort de ce local et descend vers le vestiaire. Un café à la main, il marche lentement vers le banc des joueurs en souriant à tout le monde et en encourageant ceux qui passent devant lui pour rejoindre le groupe qui est déjà sur la glace. Lorsqu'il arrive près de la rampe, il dépose sa tasse, porte le pouce et l'annulaire de sa main droite à sa bouche et siffle de toutes ses forces.

— Riopel, viens icitte! crie-t-il soudainement.

Étonné de se faire interpeller par Luc Robitaille, Félix freine et change immédiatement de direction pour aller à sa rencontre. Ce qu'il donnerait pour que Carl soit témoin de ce moment unique!

— Bonjour, monsieur Robitaille, lance Félix en souriant.

— Comment ça va, mon chum? demande l'ancienne gloire des Kings en lui serrant la main.

— Pour être honnête, ça va mieux qu'hier. Disons que les tests physiques m'aident pas à me mettre en valeur, avoue Félix avec franchise.

— Je te comprends. J'ai jamais été bon là-dedans, répond Robitaille en riant. Une chance que c'est pas dans le gym que ça se décide, sinon j'aurais jamais joué une seule *game* dans la Ligue nationale! *Anyway*, c'est à partir d'aujourd'hui que ça compte pour de vrai.

— Je vais faire mon possible pour ne pas faire regretter aux Kings de m'avoir repêché, affirme Félix, qui ne sait pas tellement quoi dire.

— Je voulais juste venir te dire bonne chance avant que ça commence, ajoute Robitaille en lui tapant amicalement sur une épaule. Avant de partir, viens me voir, je vais te donner mon numéro de téléphone au cas où tu aurais besoin de quelque chose, que tu serais mal pris... ou perdu!

— Heu... où est-ce que vous allez être?

— Arrête de me dire vous pis appelle-moi Luc, s'il te plaît. Je serai ici jusqu'à la fin de la journée et je vais être très facile à trouver. Si tu me vois pas nulle part, viens cogner à la porte du bureau du boss, en haut dans le coin. D'habitude, je me tiens là parce que le lunch est gratis! conclut-il en éclatant de rire avant de tourner les talons vers le vestiaire.

Abasourdi, Félix recommence à tourner en rond dans le sens des aiguilles d'une montre en attendant que l'entraîneur siffle le début de l'entraînement. C'est tout simplement incroyable! Luc Robitaille, l'ancien joueur préféré de son père, est venu le voir pour jaser avec lui et prendre de ses nouvelles. L'horloge du tableau indicateur n'indique pas encore neuf heures trente et il a déjà hâte de parler à Carl et sa mère pour leur raconter sa journée.

Dans le lit voisin, Rodney Barch ronfle déjà depuis un bon moment. Félix a fait une sieste en revenant de l'aréna et il ne s'endort pas. Assis sur son matelas moelleux et adossé sur un amoncellement d'oreillers, il parcourt différents sites Web sur son ordinateur portable pour tuer le temps. Il regarde ce qui se passe ailleurs dans la LNH avec les camps des recrues et il scrute aussi toutes les actualités concernant la LHJMQ. Les nouvelles en provenance de Rouyn-Noranda ne sont pas tellement réjouissantes, mais c'est un peu normal. Ses coéquipiers des Huskies doivent s'adapter au nouveau système de jeu que Toussaint tente d'implanter et ça ne se fera pas en deux ou trois jours.

C'est demain qu'il saura s'il sera invité au vrai camp des Kings. Il pense avoir suffisamment bien fait. Son agent aussi croit que l'aventure va se poursuivre. Cet après-midi, il a marqué un but de toute beauté lors du match entre les Blancs et les Noirs. Il se plaît à penser que s'il avait été avec le Canadien ou les Maple Leafs, il aurait sûrement entendu un murmure en provenance de la galerie de presse ou des estrades. Ici, le seul journaliste qui se préoccupe des espoirs des Kings est venu pour la première journée seulement. « La situation sera peut-être différente pour le vrai camp », se dit-il.

Avant d'éteindre son ordinateur, Félix retourne sur Facebook une dernière fois. Depuis qu'il a été repêché dans la LNH en juin, son nombre d'amis a presque doublé. Il en compte maintenant presque 4 000, dont près d'une moitié vient de l'Abitibi et l'autre, de la Mauricie. Au cours de la dernière semaine, sa page a été inondée de messages d'encouragement. Personnellement, il n'a encore publié aucun statut.

FELIX RIOPEL
Merci pour les bons mots. Le camp des recrues se termine demain. J'ai hâte de voir si je vais rester à Los Angeles une autre semaine ! ☺
(100+ j'aime · 54 commentaires · 9 partages)

Aujourd'hui, personne ne chausse les patins. Pendant que les entraîneurs délibèrent, les joueurs travaillent en gymnase puis font du yoga. Pour la première fois de sa carrière, Félix ne serait pas déçu ou furieux d'être retranché d'un camp d'entraînement. Intérieurement, il s'attend à rester, mais il est conscient que plusieurs très bons joueurs ne passeront pas à la prochaine étape.

Quand ils arrivent à la cafétéria privée que se partagent les Kings et les Lakers, trois feuilles ont été épinglées sur un tableau. Il y a la liste des joueurs qui devront se rapporter aux Monarchs de Manchester, à la fin de la semaine, celle des joueurs remerciés ou rétrogradés à leur club junior et celle sur laquelle tous souhaitent voir leur nom. Celui de Félix est inscrit sur la liste des 19 joueurs invités au vrai camp des Kings qui débutera dans deux jours.

4

Encore loin de la LNH

Sans surprise, Rodney Barch a évité le couperet. L'an passé, il a bien fait à sa première saison dans la Ligue américaine et il va cogner à la porte du grand circuit cette année. Félix est rassuré de savoir qu'il n'aura pas à s'installer avec un autre camarade de chambre. Sans jouer au grand frère avec lui, Barch s'assure quand même qu'il sache toujours ce qui se passe. Aujourd'hui, quand Félix analyse la situation, il comprend que les dirigeants du club avaient vraisemblablement décidé dès le départ de le garder pour le vrai camp. Ils avaient jumelé tous les espoirs sélectionnés lors des six premières rondes du dernier repêchage à de jeunes mentors de la Ligue américaine qui allaient assurément poursuivre l'entraînement avec les vétérans des Kings.

C'est congé aujourd'hui. Une rare trêve dans cette épuisante période de l'année où le corps doit avoir mal et où le cerveau doit faire abstraction de la souffrance pour continuer d'avancer. Tous les joueurs sont dans la même galère. Ils ont tous bûché comme des enragés pour en arriver là et ils débordent tous de talent. La plupart du temps, la partie se joue donc entre les deux oreilles et les plus fous sont ceux qui ont le plus de chances d'aller plus loin. Le facteur chance n'existe pas. D'ailleurs, Félix a rayé très tôt le mot « chance » de son vocabulaire sportif. Il avait à peine neuf ou dix ans la première fois qu'André, son père, lui a fait la morale à ce sujet. Battu en prolongation au tournoi atome de L'Assomption, Félix pleurait dans la voiture sur le chemin du retour. Il se sentait coupable d'avoir raté un but en échappée qui aurait procuré la victoire aux jeunes Tigres de Louiseville.

— Leur gardien a été chanceux d'arrêter la *puck*, avait-il bougonné en s'essuyant les yeux avec le revers de sa mitaine.

— Pourquoi dis-tu qu'il a été chanceux ? avait calmement demandé son père en détournant les yeux de la route pour le regarder tendrement.

— J'ai pris une bonne *shot*, pis c'est juste de la *luck* si y a gobé la *puck* avec sa mitaine. J'ai tiré *top net* et j'aurais dû scorer.

— Ouin… et toi ? Quand tu comptes des buts, est-ce que c'est de la chance ?

— Non. C'est parce que je suis bon, avait déclaré Félix avec conviction.

— Mais quand le gardien fait l'arrêt, tu dis que c'est de la chance. S'il a arrêté ton tir, c'est parce qu'il était bien positionné, qu'il a de bons réflexes, une bonne technique ou qu'il a de la facilité à anticiper les jeux. Y a juste les *losers* qui emploient le mot "chance" pour expliquer la défaite. Les seules fois où un athlète peut parler de chance, c'est quand il gagne un tirage. Quand t'achèteras des billets pis que tu gagneras un prix, tu viendras me parler de chance... sinon, accepte la défaite ou travaille plus fort. C'est la même chose pour les adultes. La vie, c'est pas une loterie, Félix. Les gens obtiennent ce qu'ils méritent en travaillant fort.

Ce soir-là, de retour à la maison, à Louiseville, Félix s'était rendu sur la petite patinoire que son père entretenait dans la cour arrière et il avait lancé plus de mille rondelles dans le but avant de rentrer, épuisé, les cheveux mouillés sous sa tuque, les pommettes rouges et la morve au nez.

Par conséquent, ce matin, quand Barch lui demande s'il veut l'accompagner au gym, Félix n'hésite pas une seule seconde même si les recrues ont obtenu une journée de congé. Il y a longtemps qu'il a compris qu'il faut énormément d'efforts pour distancer les autres au fil d'arrivée et, de fil en aiguille, les mots « effort », « souffrance » et « discipline » ont cessé d'être synonymes de sacrifice. En arrivant à l'aréna, Félix réalise immédiatement qu'il a drôlement bien fait d'accepter la proposition de son camarade de chambre. Dans le stationnement, près de l'entrée des joueurs, il n'aperçoit que des voitures de luxe. Porsche, BMW, Land Rover, Mercedes, Audi, Hummer et même une Lamborghini sont garés près du Toyota Sports Center. Incapable de résister à la tentation, il prend une photo qu'il s'empresse d'envoyer à Carl, sous le regard amusé de Barch.

> Incroyable, Carl… voici le stationnement des Kings. Y drivent pas des minounes comme nous à Lsville!

Les deux espoirs des Kings se pointent timidement dans la salle de musculation à la recherche d'appareils inoccupés. Partout des joueurs en sueur se démènent en écoutant à tue-tête *Crazy Train*, un vieux succès d'Ozzy Osbourne.

— *Now I understand why we had a day off*, murmure Barch en regardant Félix qui le suit d'un pas hésitant.

Le camp s'amorce officiellement le lendemain, mais tous les vétérans sont déjà au travail de leur propre gré. Sans avoir à se le dire, les deux jeunes pensent la même chose. Ils se disent qu'il aurait été plus avisé de se changer et d'aller courir dans le quartier que de venir ici embêter les porte-couleurs réguliers des Kings. Voyant leurs mines stupéfaites, la plupart des joueurs viennent tour à tour à leur rencontre pour se présenter et leur souhaiter la bienvenue. Certains reconnaissent Barch et lui font même l'accolade, ce qui n'est pas sans impressionner Félix.

Moins de deux heures plus tard, les deux jeunes quittent le complexe d'entraînement. La veille, l'organisation a fourni des billets à toutes les recrues désireuses d'aller assister au match des Dodgers qui sera présenté à treize heures. Pas question de rater une occasion pareille.

> **FélixRiopel** @Rippy57
>
> On my way to the Dodgers game with the guys!!! #LoveMyLife #LoveLA #LoveTheKings

Après un camp plutôt discret avec les recrues, Félix ne casse pas davantage la baraque avec les vétérans. Intimidé de côtoyer toutes ces vedettes qu'il regarde depuis des années à la télé, il n'ose guère essayer de s'intégrer au groupe. Dans le vestiaire, il se contente de faire sa petite affaire, sans dire un mot. Avec son anglais déficient et un accent prononcé qui trahit ses origines, on lui demande constamment de répéter ce qu'il vient de dire. S'il s'en accommodait relativement bien avec les autres jeunes, il préfère maintenant éviter les conversations. Une fois sur la glace, le langage devient universel et il s'exprime beaucoup mieux avec un bâton et une rondelle!

Après deux jours d'exercices intenses, on dispute enfin un premier match intra-équipe. Pour l'occasion, Félix se retrouve dans le groupe des Noirs et il sera au centre du troisième trio, flanqué du vétéran Mike Nikolas et de Wally Farrington, un Américain de vingt-deux ans fraîchement issu du circuit universitaire de la NCAA. Il n'a jamais entendu parler de Farrington, mais il connaît drôlement bien Nikolas, qu'il avait même sélectionné dans sa formation l'an passé lors des tournois de Xbox du samedi avec les gars des Huskies. Pas tellement plus grand que lui, mais très costaud, Nikolas a terminé deuxième au scrutin pour la recrue de l'année à son arrivée dans la LNH, il y a sept ou huit ans. Ennuyé par une blessure à une cheville, il a raté presque toute la deuxième moitié de la dernière saison. Au tournant de la trentaine, certains croient que ses belles années sont déjà derrière lui, car il a souvent visité l'infirmerie depuis le début de sa carrière.

— *Play your game but keep it simple*, conseille Nikolas aux deux recrues avant que le match commence. *If you do it right, we might play a preseason game together!*

« Jouer une partie préparatoire aux côtés de Mike Nikolas, ce serait trop fou ! », songe Félix. En se fermant les yeux pour y réfléchir, il est brusquement persuadé d'avoir vécu ce moment auparavant. C'est un sentiment étrange et troublant qu'il vit à l'occasion. Si seulement il pouvait deviner la suite…

Quand il se retrouve au cercle de mise en jeu face à Milan Myslivec, Félix est médusé. Ce joueur tchèque était au match des étoiles de la Ligue nationale l'an passé et voilà qu'il va se battre avec lui pour la rondelle ! Au moment où l'arbitre est sur le point de desserrer les doigts pour la laisser tomber, Myslivec regarde son vis-à-vis en hochant la tête.

— *Hey, kid !* dit-il bien fort.

— *What ?* fait bêtement Félix en levant les yeux.

— *See you later !* lance le vétéran en riant tandis que Félix constate que l'arbitre a laissé tomber le disque pendant qu'il regardait Myslivec.

— *Wake up, Roupel !* crie Nikolas en déguerpissant dans sa zone.

Quarante secondes plus tard, une fois au banc, les gars se payent sa tête de bon cœur. La glace est brisée pour la recrue de dix-huit ans. Les Noirs l'emportent finalement 3 à 2. Le trio de Félix ne se retrouve sur la glace pour aucun but. Le jeune espoir québécois s'est surtout concentré sur son jeu défensif, ce qui ne l'a pas empêché de préparer quelques belles pièces de jeu en plus d'obtenir deux tirs inoffensifs vers le filet adverse.

FélixRiopel @Rippy57

Can't believe I played against Milan Myslivec today! #Kings #nhlTrainingCamp

Un peu plus de quarante-huit heures plus tard, les Kings disputent leur premier match pré-saison alors qu'ils accueillent les Sharks de San Jose au Staples Center de Los Angeles. Félix n'est pas en uniforme et il regarde la rencontre du haut de la passerelle de presse en compagnie des autres jeunes laissés de côté. Plus tôt dans la journée, lui et les autres joueurs ignorés pour cette partie ont sué un bon coup sur la patinoire et au gym.

Après l'affrontement, sur le chemin du retour vers l'hôtel, il apprend dans l'autobus qu'il sera de la formation pour le match du lendemain. Cette fois, ce seront les Ducks d'Anaheim qui seront de passage au domicile des Kings. À en juger par le spectacle qu'il a vu des hauteurs de l'amphithéâtre, Félix est persuadé qu'il sera en mesure de bien tirer son épingle du jeu. Grandement impressionné au début du camp, il a fini par chasser la nervosité et la gêne qui le pétrifiaient pratiquement il y a à peine trois jours. De plus, après deux joutes intra-équipe et une longue séance d'entraînement comme centre de Nikolas et de Farrington, il réalise qu'une chimie intéressante s'installe entre eux trois.

FélixRiopel @Rippy57

First pre-season game tomorrow. #Kings #DreamComeTrue

Avant de se coucher, Félix discute longuement avec Rodney Barch, qui lui prodigue encore une fois ses meilleurs conseils. Il ne regarde même pas ce que ses abonnés auraient pu lui répondre sur Twitter. Il décide aussi de ne pas aller voir ce qui se dit sur Facebook pour ne pas se laisser distraire. Seuls sa mère Line, sa sœur Véronique, son meilleur ami Carl et son agent Christian Champagne auront droit à un bref message texte.

Je joue demain sur la même ligne que Nikolas et Farrington. Vous pouvez voir la partie sur Internet. Je capote, mais je suis confiant. Je ferme mon cell jusqu'à demain soir. Merci d'être là pour moi. Vous serez pas déçus ! ;-)

Le lendemain, à peu près à la même heure, Félix ouvre son téléphone et écrit au même quatuor.

Cette fois, les nouvelles sont moins réjouissantes. Il s'est relativement bien débrouillé lors du match, mais comme la majorité des joueurs d'âge junior, il ne peut échapper à la première vague de coupures.

> C'est terminé. Je viens d'être coupé. J'ai bien joué quand même. Méchant trip à soir vs Ducks. Je suis fier de mon camp. Super expérience. A + ☺

Trente secondes plus tard, son téléphone sonne. C'est son agent.

— Salut, Félix. Peux-tu parler ? demande Champagne en coupant court aux politesses.

— Oui, pas de trouble. On vient de revenir à l'hôtel à El Segundo.

— Qu'est-ce qu'ils t'ont dit quand t'es passé dans le bureau ?

— Pas grand-chose. Le directeur général pis le coach étaient là. Ils m'ont dit que j'avais eu un bon camp. Ils veulent que je sois plus constant, plus rapide dans mes prises de décision et surtout plus agressif dans les parties. Ils veulent que je sois un joueur dominant cette année dans la LHJMQ et que je sois un bon leader à Rouyn… Pis, ben sûr, ils m'ont dit qu'il fallait que j'essaie de grossir !

— C'est bon. Je vais parler au DG demain et je vais te rappeler après.

— Ah oui… J'ai aussi vu Luc Robitaille en retournant au bus, ajoute Félix. Il est venu me parler presque tous les jours. Il m'a dit que tout le monde m'avait bien aimé et que j'avais laissé une maudite bonne impression pour un gars choisi en troisième ronde. Il a aussi dit de te faire le message que si je voulais arriver d'avance l'année prochaine pour m'entraîner à Los Angeles, on avait juste à lui téléphoner et qu'il me prendrait chez lui, dans sa maison. Ça a pas de sens comme ce gars-là est gentil!

— T'as raison! C'est un vrai gentleman. Je vais le contacter lui aussi pour avoir d'autres infos sur ton camp et essayer de connaître le plan qu'ils ont pour toi.

— Leur plan? C'est pas compliqué: je retourne jouer junior pis ils espèrent que je serai meilleur l'an prochain.

— Je sais, Félix. Mais quand je parle de plan, je parle aussi de contrat! Appelle-moi en arrivant en Abitibi.

5

Un peu moins glamour dans la LHJMQ

Assis dans la dernière rangée de l'autobus qui avance lentement dans le brouillard, Félix s'imagine à quoi pourrait ressembler sa vie dans trois ou quatre ans. La Californie, les plages, les palmiers, les vedettes d'Hollywood, les voitures sport, les belles femmes et, surtout, la LNH ne semblent plus très loin. Autant il réalise que la marche à monter pour y accéder est encore très haute, autant il est maintenant convaincu qu'il appartiendra à cette ligue avant longtemps. Il n'a peut-être joué qu'une partie pré-saison, toutefois il n'a pas eu l'air d'un empoté contre les Ducks. Christian Champagne l'a maintes fois averti depuis son retour avec les Huskies : même si c'est une très bonne chose que ce rêve lui serve de motivation, il est encore plus important qu'il n'oublie pas qu'il lui reste beaucoup de croûtes à manger avant d'accéder à la Ligue nationale. Son agent lui a répété au moins une dizaine de fois qu'il doit se concentrer uniquement sur son rôle et sa progression avec son équipe junior.

— Parle-moi donc des Tigres, demande Félix à Patrick Fréchette pour chasser ces images fantasmagoriques que son cerveau refuse de laisser s'évader.

— Hein?… Te parler des Tigres? répète Fréchette de la banquette voisine. Peux-tu être plus précis? Qu'est-ce que tu veux savoir?

— Sont comment cette année? J'étais pas au camp d'entraînement et j'ai pas joué les parties hors concours.

— T'es drôle, toi! répond Fréchette en grimaçant. Je le sais pas plus que toi. Le coach va nous en parler demain matin, après l'entraînement, comme d'habitude. On n'a pas joué contre eux dans le calendrier pré-saison. Je pense qu'ils ont à peu près le même club que l'année passée.

Fréchette replonge la tête dans ses cahiers et poursuit un travail de philosophie amorcé la veille, à leur pension. Songeur, Félix regarde les arbres qui commencent déjà à changer de couleur dans le parc de La Vérendrye. Contrairement à son coéquipier, il ne s'est pas inscrit au cégep cette année. Malgré la pression exercée par l'aide pédagogique des Huskies, sa mère et son agent, il a préféré adhérer à des cours à distance. Arrivé de Los Angeles tard la veille, il n'a aucune idée de ce qu'il aura à étudier cet hiver. Comme ce fut le cas l'an passé, il partage encore le sous-sol de la famille Casault avec Fréchette. Ce n'est pas le coéquipier le plus bavard ni le plus distrayant, mais il s'entend merveilleusement bien avec lui.

— Pis, comment ça va avec le nouveau coach ?

— Toussaint ? fait Fréchette.

— Ben oui, Toussaint ! Y a pas d'autre nouveau coach que lui ! s'impatiente Félix.

— Excuse-moi, c'est que j'étais concentré sur mon travail. C'est dur à dire. Personnellement, y a l'air de m'aimer. J'ai joué pas mal pendant les parties hors concours. Y a des matchs où il m'a même utilisé en avantage numérique. Mais ça devrait changer maintenant que t'es revenu. Je suppose que t'as eu le temps de le remarquer avant de partir pour Los Angeles, mais Toussaint est pas mal moins cowboy que Caisse. Il passe pas son temps à donner un show, il sacre pas et il est pas mal plus respectueux aussi.

L'air plutôt sceptique, Félix se contente de hocher la tête en plissant légèrement les yeux pendant que Fréchette retourne à son travail. Encore quatre heures de route les séparent de la région des Bois-Francs et Félix n'a pas l'intention de dormir. Pour le moment, le décalage horaire n'a aucun effet sur lui. Comme son voisin semble visiblement occupé en ce moment, il se lève et part à la recherche d'un coéquipier qui sera plus enclin à discuter avec lui.

Presque tout le monde dort. Il y a bien le défenseur Lukas Denommé qui regarde un film, deux rangées devant, mais Félix préfère continuer d'avancer jusqu'à Loïc Penosway. Dans le dernier droit de la dernière saison, ils se sont souvent retrouvés sur le même trio et il pourrait peut-être encore jouer en sa compagnie cette année.

— Sais-tu c'est quoi les lignes demain soir? l'interroge Félix en s'assoyant à côté de lui.

— Aucune idée, dit sèchement le jeune Amérindien sans détourner le regard de son téléphone.

— Comment ça, t'as aucune idée? Avec qui tu pratiquais hier? le relance Félix.

— J'étais sur aucun trio. J'étais le treizième attaquant pis asteure que t'es revenu, je vais être le quatorzième attaquant... À moins que je sois le septième défenseur, parce que tant que Loiselle sera pas revenu de Columbus, on a aucun extra à la ligne bleue, explique Penosway, découragé.

— Pis dans les matchs préparatoires, avec qui tu jouais? poursuit Félix.

— J'ai joué une seule partie, *man*. Je me demande ce que je fais ici.

— Pourtant, avant que je parte, pendant les entraînements tu flyais sur la glace comparé à l'an passé, à la fin de la saison. Qu'est-ce que le coach t'a dit?

— Il a rien dit.

— Qu'est-ce que tu veux dire? Il t'a forcément parlé à un moment donné, insiste Félix.

— Y a personne qui m'a parlé. J'ai su que je faisais le club quand madame Landry est venue me voir pour me parler de mes cours au cégep. Une chance qu'on a une conseillère pédagogique, sinon je l'aurais appris en voyant la liste des joueurs dans le journal.

— Ben là… Ça te tente pas d'aller le voir pour lui demander ce qui se passe?

— J'ai pas besoin de parler à Toussaint. Je sais ce que je vaux. Pour la première fois de ma vie, je me suis entraîné cet été. Je suis allé au gym à Val-d'Or presque chaque jour, j'ai suivi deux semaines de cours de *power skating* à Boisbriand, j'ai bien mangé et j'ai même pas pris de bière. Je sais que je suis franchement meilleur que l'an passé. Quand il va y avoir des blessés, il aura pas le choix de me faire jouer et il va se trouver niaiseux de pas m'avoir embarqué avant. En attendant, qu'il mange de la marde… Pis toi? Les Kings, c'était comment? interroge Penosway qui n'a manifestement plus le goût de discuter de son sort avec les Huskies.

À la fin d'octobre, Félix se classe parmi les 20 meilleurs marqueurs de la LHJMQ grâce à une superbe récolte de 9 buts et 18 passes pour

27 points en 19 parties. Sans rien enlever à son début de saison fulgurant, il se doit d'admettre que la plupart des meilleurs éléments du circuit ont raté les deux premières semaines du calendrier, puisqu'ils n'étaient pas encore revenus des camps de la Ligue nationale. Joueur de centre depuis sa plus tendre enfance, le numéro 57 a été muté à l'aile droite après deux rencontres. Rébarbatif au début, Félix est devenu plus conciliant quand Toussaint lui a expliqué qu'il aurait ainsi plus d'options le jour où il montera chez les professionnels… et son argument a surtout pris de la valeur quand il lui a énuméré les joueurs de centre des Kings.

Moins engagé défensivement maintenant qu'il évolue sur le flanc droit, Félix a vite développé une belle complicité avec ses nouveaux compagnons de trio, les Tchèques Roman Slavik et Zdenek Jedlicka, qui en sont à leur deuxième année dans la ligue. La saison n'est vieille que d'un mois et déjà plusieurs dépisteurs épient les deux jeunes Européens de très près. Selon bon nombre d'experts, les Huskies pourraient voir trois de leurs porte-couleurs être réclamés lors des trois premières rondes au prochain repêchage, car Lukas Denommé attire encore plus l'attention des recruteurs de la LNH.

Collectivement, les résultats se font attendre, quoique l'équipe joue beaucoup mieux depuis le retour de Cédrick Loiselle. Avec 21 points en 19 parties, Rouyn-Noranda se situe pour le moment au quatrième rang de sa division, à égalité avec Gatineau. Le directeur général Dany Lafrenière se réjouit d'avoir pu amener Russell Toussaint en Abitibi. L'équipe a repris du poil de la bête et plus de gens fréquentent l'aréna Iamgold depuis que l'ex-vedette des Stars de Dallas s'est amenée derrière le banc.

— Regarde ça, Russ, encore un bel article sur nous autres à matin ! s'exclame Lafrenière, bien calé dans un vieux fauteuil en cuir noir derrière son bureau. As-tu vu la belle photo de toi sur la première page ? ajoute-t-il en exhibant fièrement la dernière édition du journal *La Frontière*. Partout où je me promène, les gens sont contents de notre club. Tu fais une belle job avec les *kids* !

— Peut-être, mais j'ai l'impression de travailler dans une garderie, réplique Toussaint, appuyé contre le mur, une tasse de café à la main. Il faut que je leur explique tout dix ou douze fois avant que ça leur rentre dans la tête.

— J'ai tout le temps dit qu'un joueur de hockey, c'est comme un petit chien à qui tu veux apprendre à faire des tours. Faut que tu recommences cent fois avant que ça marche, pis après ça, il te ramène toujours la balle sans réfléchir, explique le directeur général des Huskies. À part ça, tu peux pas apprendre trois ou quatre affaires en même temps à un chien. Une fois qu'il est capable de rapporter la balle, tu lui apprends à faire le mort. C'est pareil avec ta gang, garde les choses simples si tu veux avoir des résultats. Vas-y un truc à la fois. C'est pas de la physique nucléaire, c'est juste du hockey!

— Me niaises-tu, Dany? C'est n'importe quoi, ton histoire de petits chiens!

— C'est juste un exemple que je te donne, se contente de répondre Lafrenière.

Ce dernier avait déjà entendu Richard Caisse faire cette comparaison et il croyait bien que son nouvel entraîneur aurait aimé l'analogie.

— En plus de toujours tout répéter, l'autre affaire qui me tue, c'est que je dois toujours tout justifier, reprend Toussaint. Dans mon temps, le coach nous disait de "dumper" la rondelle dans le fond pis on l'écoutait, sans poser de questions. Aujourd'hui, il faut leur expliquer pourquoi on fait ci pis pourquoi on fait ça, sinon ils te regardent avec leurs grands yeux d'ados tout mélangés. C'est pas des adjoints que ça me prendrait, c'est des psychologues.

— Ben voyons! T'es ben décourageant à matin! soupire Lafrenière. Y aurait pas fallu que tu sois ici l'année passée, lance-t-il avec un rire peu convaincant.

— *Anyway*, c'est pas de ça que je veux te parler, interrompt Toussaint. On a une situation délicate avec le jeune Frédéric Boucher.

— Es-tu sérieux? Il a pourtant pas l'air d'un *kid* à problèmes. Il a fini l'année avec nous la saison dernière pis tout le monde me dit que c'est un ange.

— Ben là, ton ange, il est en train de perdre ses ailes blanches pis y a des petites cornes qui commencent à lui pousser sur la tête… Pis y a un autre genre de corne qui est en train de lui pousser dans les culottes. Mon capitaine est venu me voir hier. On a un beau problème à régler et ça presse.

— Qu'est-ce qu'il voulait, Archambault ? demande Lafrenière, qui a perdu son éternel sourire.

— Les gars sont en beau maudit à cause du règlement d'équipe qui leur interdit d'aller coucher à l'hôtel la fin de semaine, même si leurs blondes sont à Rouyn-Noranda, avec ou sans leurs familles. Et comme tu sais, c'est aussi défendu que des filles aillent coucher dans les pensions. Le petit sacripant à Boucher a contourné la loi, raconte Toussaint sur un ton très sérieux. Depuis deux semaines, il sort avec la fille des gens qui l'hébergent en pension. Il vit chez les Cloutier, pas loin de l'aréna, et ça s'adonne que leur fille de seize ans est belle comme un cœur pis qu'elle l'attend après toutes nos parties… pis nos pratiques. On n'a pas le choix. Faut le changer de pension.

— Ça veut pas dire qu'il couche avec…

— Tu viendras essayer de convaincre Archambault et les autres vétérans. Boutch pis la petite Cloutier partent de l'aréna en se minouchant. Penses-tu qu'ils jouent aux cartes une fois qu'ils sont rendus à la pension ? C'est le genre d'affaire banale qui peut dégénérer très rapidement dans un vestiaire.

Y a pas mille solutions et c'est pas compliqué. Ti-cul doit faire ses valises et aller vivre dans une autre famille. Peu importe ce que tu décides, faut que tu règles ça au plus sacrant. Moi, je gère des joueurs de hockey et des stratégies. Ce genre de niaiseries-là, c'est à toi de t'en occuper.

— Ouais… Je vais commencer par rencontrer monsieur et madame Cloutier. Si c'est ton seul problème, alors ça veut dire que nos affaires vont bien !

— Sur quelle planète tu vis ? Je te dis que c'est pas une *joke*, cette affaire-là. Y a rien de pire qu'une histoire de filles pour mettre le trouble dans un vestiaire. Me semble que je suis assez bien placé pour le savoir, j'ai joué dans la Ligue nationale pendant seize ans.

Bien servi par sa vaste expérience, Russell Toussaint avait vu juste. Lent à prendre le dossier de Frédéric Boucher en main, Dany Lafrenière a laissé la situation se détériorer et il faut que la grogne s'installe dans le vestiaire pour qu'il agisse. Jeudi après-midi, à la fin de l'entraînement, Archambault et ses adjoints avisent cordialement l'entraîneur-chef que tous les joueurs qui ont des copines vont aller coucher à l'hôtel vendredi et samedi si leurs amoureuses viennent les voir jouer en Abitibi. Ceux qui sont en couple avec des filles de la région n'ont pas plus l'intention de dormir dans leur pension.

Devant cette situation imprévue, le directeur général est finalement contraint d'aborder l'épineux sujet avec Gilles Cloutier, qui lui confirme que son adolescente partage parfois sa chambre avec le jeune Boucher. Confronté à ce fait, le patron des Huskies ne peut plus jouer à l'autruche et il se voit dans l'obligation de réagir immédiatement. Heureusement, au moins un élément joue en sa faveur puisque Jean-Louis Boucher, le père de Frédéric, sera justement de passage à Rouyn-Noranda ce week-end pour assister aux deux matchs des Huskies. Il a donc pris rendez-vous avec le père et le fils pour leur expliquer aimablement que Frédéric s'est placé dans une situation délicate et qu'il devra malheureusement accepter de changer d'adresse le plus tôt possible afin de respecter les règles de l'équipe.

En ce qui concerne le reste des joueurs, Lafrenière a décidé d'acheter la paix en levant le règlement pour toute la fin de semaine, le temps de régler ces enfantillages. Il espère que lundi, tout sera rentré dans l'ordre.

Samedi matin, au lendemain d'un gain décisif de 5 à 1 face à l'Armada, Jean-Louis Boucher se présente à l'aréna Iamgold avec son garçon de dix-sept ans pour y rencontrer le grand patron. La veille, Frédéric a enfilé son sixième filet de la saison et il revendique déjà une dizaine de points, ce qui le place parmi les recrues les plus productives de la LHJMQ. Le paternel ne connaît pas les raisons qui motivent cette réunion impromptue, mais il a sa petite idée. Son fils n'a jamais vraiment pris l'école au sérieux et probablement qu'il se la coule douce pour cette première session à vie dans un cégep.

Pour sa part, Frédéric n'est pas dupe. Il sait trop bien ce qu'on lui reproche et il n'a pas réussi à trouver un seul argument pour sa défense. Assis près de son père, il essaie de garder une attitude décontractée. Même si sa belle Rosalie lui a fait promettre de se battre bec et ongles pour continuer de vivre dans sa famille, il va abdiquer sans causer le moindre remous. En fait, ses coéquipiers l'ont tellement pris en grippe qu'il était sur le point de demander lui-même une rencontre avec la direction.

— Je suis désolé, mais il est hors de question que mon gars change de pension, répond catégoriquement Jean-Louis Boucher lorsque Dany Lafrenière lui explique l'imbroglio causé par son fils. Ce qui arrive en ce moment, ce n'est pas la faute à Fred. Ce n'est pas lui qui a choisi d'aller vivre dans cette famille-là. Vous l'avez vous-même placé chez les Cloutier. Il vit chez eux depuis janvier dernier et il adore ça.

— Nous en sommes conscients, monsieur Boucher, et vous avez raison. Cependant, il y a d'autres très bonnes familles d'accueil à Rouyn-Noranda et personne ne va empêcher Frédéric de voir sa petite copine quand il aura changé de pension, explique calmement Lafrenière.

— Je m'en sacre, des autres familles ! s'emporte Boucher en élevant la voix. Mon gars est heureux avec toute la famille Cloutier, pas juste avec la petite Rosalie. Il est arrivé là en janvier dernier et ils l'ont pris comme leur propre fils. Moi, je m'entends bien avec Gilles et c'est pareil pour nos femmes. Je répète, ce qui arrive aujourd'hui, c'est pas de la faute à Fred.

— Personne dit que c'est pas une bonne pension pour Frédéric. Je vous demande juste d'essayer de comprendre qu'on n'a pas le choix. Ça peut pas continuer comme ça… même s'il mettait fin à sa relation avec la petite Cloutier, déclare le directeur général.

— Ce sont les Huskies qui choisissent les pensions. C'était votre travail de savoir que les Cloutier avaient une fille de son âge, réplique Jean-Louis Boucher sans se préoccuper de l'avis de son fils. Mon gars est sérieux, discipliné, il ne boit pas, il ne couraille pas et sur la glace, il fait de la maudite bonne job. Fred va rester dans sa pension, un point, c'est tout. Si ça ne fait pas l'affaire des Huskies, vous n'avez qu'à le renvoyer à la maison et vous l'échangerez aux fêtes. Ce n'est certainement pas Fred qui va payer pour vos erreurs.

— Calmez-vous un peu, monsieur Boucher, rétorque Lafrenière en bombant le torse et en relevant les épaules. Les Cloutier prennent des pensionnaires depuis six ou sept ans et on ne s'est pas rendu compte que leur petite fille était rendue à l'âge de nos joueurs. Pour le moment, c'est vrai que Frédéric est heureux. C'est vrai aussi que c'est un petit gars exemplaire et qu'on n'a rien d'autre à lui reprocher. Mais y a deux choses auxquelles vous devez penser, vous et lui, ajoute-t-il en insistant sur le mot « lui ». D'abord, la journée où ce sera fini entre les deux, est-ce qu'il va se retrouver dans un climat agréable chez les Cloutier ? Et ensuite, s'il reste là, comment est-ce que ses coéquipiers vont le traiter dans le vestiaire ?

— Monsieur Lafrenière a raison, p'pa, intervient timidement Frédéric qui s'exprime pour une première fois.

— C'est pas toi qui décides, Fred, c'est moi, l'interrompt Jean-Louis Boucher.

— Non, c'est pas vrai, s'oppose courageusement le jeune attaquant. C'est le vestiaire qui décide, pis les gars veulent plus me voir la face depuis que je sors avec Rosalie… Et c'est normal, parce qu'eux autres, ils ont pas le droit de voir leurs blondes. Penses-tu que j'ai du fun à venir à l'aréna, moi ? conclut-il, les yeux pleins d'eau.

— C'est beau. Si c'est bon pour ton hockey, c'est correct, tu vas changer de pension, lâche sèchement Jean-Louis Boucher sans même regarder son fils. Mais je veux rencontrer la nouvelle famille avant qu'on dise oui officiellement, poursuit-il en s'adressant cette fois au patron des Huskies, qui acquiesce à cette demande par un simple hochement de la tête.

Une fois le duo sorti de son bureau, Dany Lafrenière détache sa cravate et se laisse choir dans son fauteuil. Il a la nuque toute mouillée et il se sent soudainement envahi par une bouffée de chaleur. Jamais il n'aurait cru que cette rencontre prendrait une telle tournure. C'est la première fois de sa carrière qu'un parent s'insurge de la sorte devant une décision aussi anodine, et il n'était pas du tout préparé pour ce genre d'affrontement. Ce n'est pourtant pas inhabituel de changer un joueur de famille d'accueil à cette période de l'année. C'est une situation qui revient généralement tous les trois ou quatre ans, à la fin octobre, quand une jeune dame esseulée profite de l'absence de son mari parti à la chasse pour se payer du bon temps avec son jeune et fringant pensionnaire des Huskies. Dans de telles circonstances, le joueur impliqué ne manque pas de se vanter haut et fort de ses exploits dès le lendemain dans le vestiaire. Le déménagement se fait en général sans anicroche… et avant que le mari revienne de la chasse!

6

Le secret de Patrick Fréchette

Au sein de l'équipe, les histoires d'amour du jeune Frédéric Boucher et les désertions autorisées du week-end sont devenues un sujet de plaisanteries qui ont même consolidé les liens entre les vétérans et les jeunes joueurs. Le dimanche en fin d'après-midi, les troupiers de Russell Toussaint comblent leurs partisans avec un deuxième triomphe de suite à domicile quand ils doublent le Drakkar de Baie-Comeau 4 à 2.

Après la partie, dans le vestiaire des Huskies, pendant que tout le monde célèbre et s'amuse, Patrick Fréchette fait sa petite affaire dans son coin, comme d'habitude. Ce n'est rien de nouveau chez lui. Loin d'être exubérant dans la vie de tous les jours, c'est sur la patinoire qu'il s'éclate. Aujourd'hui, il a disputé une solide rencontre. Utilisé contre le gros trio des visiteurs, il a été impeccable défensivement en plus de préparer un but et d'appliquer deux mises en échec percutantes.

— Me semble que t'as l'air *down* pour un gars qui vient d'en jouer une bonne, remarque Félix, préoccupé.

— Pas du tout. Merci de t'inquiéter, mais tout est beau, mon Félix.

— Viens-tu manger avec la gang, au moins ?

— Tu le sais, j'ai jamais faim après les parties. En plus, mon meilleur ami d'enfance est venu en Abitibi en fin de semaine. J'aimerais ça le voir cinq minutes avant qu'il reparte à Drummondville.

— Ouin… je comprends, fait Félix. Moi aussi, je serais dû pour avoir de la visite, maudit chanceux ! ajoute-t-il en frappant l'épaule de Patrick avec son poing. Je m'ennuie vraiment de mon chum Carl !

Deux heures plus tard, quand Félix rentre chez les Casault, Patrick n'est toujours pas revenu. Il est presque vingt et une heures et il s'inquiète un peu.

T'es où Big ?

À l'aréna.

Comment ça ? WTF

Je regarde jouer du midget pour le fun.

En quel honneur ?

Bof. Ça passe le temps.

La personnalité étrange et complexe de son coéquipier l'intrigue depuis la première journée où il est venu vivre avec lui en pension chez Jacques et Ginette Casault. D'un naturel plutôt solitaire, Fréchette n'est pas encore complètement intégré au groupe même s'il en est à sa deuxième année à Rouyn-Noranda. L'an passé, il a éprouvé beaucoup de difficultés à s'adapter à un entraîneur autoritaire et gueulard. Il se sentait pris en faute chaque fois que Richard Caisse s'emportait et criait son nom. Avec Toussaint, le contexte est fort différent et Patrick devrait logiquement démontrer plus d'entrain. Félix ne comprend toujours pas ce qui cloche chez lui. Peut-être qu'il pourrait aller le rejoindre à l'aréna pour essayer de lui remonter le moral ou de deviner ce qui ne va pas en ce moment.

Quand il arrive sur place, Félix constate que Patrick est effectivement dans les gradins de l'amphithéâtre. En revanche, il n'est pas seul. De loin, Félix croit reconnaître la psychologue de l'équipe assise à côté de lui. Elle porte de grosses mitaines rouges qui paraissent encore plus énormes chaque fois qu'elle saisit sa tasse de café à deux mains pour la porter lentement à sa bouche. Elle ne parle pas. Elle se contente d'écouter l'attaquant des Huskies. Après un long silence pendant lequel ils regardent tous deux la partie sans afficher le moindre intérêt, Fréchette reprend la parole sans détacher ses yeux de la patinoire. Penché vers l'avant, les mains jointes et les coudes sur les cuisses, il amorce un long monologue. En retrait, appuyé contre le mur de béton du corridor qui débouche derrière le filet, Félix observe la scène en espérant ne pas se faire repérer. Jamais il n'a vu Fréchette aussi volubile et il se demande bien de quoi il peut être question.

Il doit forcément s'agir de quelque chose de grave pour que la psychologue se déplace à l'aréna un dimanche soir. Bien sûr, on la voit sortir du bureau de l'entraîneur et rôder près du vestiaire à l'occasion, mais, à sa connaissance, jamais un seul joueur n'a eu recours à ses services. Il y a deux ans, elle avait accompagné le club à Kitchener pour le tournoi de la Coupe Memorial. Chaque jour, elle rencontrait les joueurs en groupe de quatre ou cinq pour leur faire faire des exercices de visualisation. Le matin de la finale, Félix se souvient qu'elle les avait questionnés sur leurs motivations profondes à jouer au hockey. Après avoir entendu deux coéquipiers mettre leurs tripes sur la table, il avait parlé de son père, André. En repensant aux moments de joie vécus avec lui à la patinoire derrière la maison ou à celle du parc, il n'avait pu s'empêcher de pleurer malgré la présence des autres joueurs.

Peut-être est-ce justement ce qui attriste Fréchette? Félix sait que son coéquipier est à couteaux tirés avec son père et qu'ils ne s'adressent même plus la parole depuis deux ans. La peine de Félix est douloureuse, mais c'est la mort qui l'a séparé de son père, pas un conflit. En méditant là-dessus, il en vient à la conclusion que lui aussi serait terriblement triste si son père ou sa mère ne voulait plus le voir. « Pauvre Fréchette », se dit-il en rebroussant chemin vers le domicile des Casault, un peu honteux d'avoir espionné son coéquipier.

Retiré dans sa chambre, Félix entend Fréchette descendre dans le sous-sol à peine quelques minutes avant le couvre-feu de vingt-trois heures. Toutefois, il reste devant son ordinateur à se balader sur des sites Web de hockey. Il aimerait bien aller à la rencontre de Patrick, sauf qu'il n'a aucune idée de ce qu'il pourrait lui dire pour engager une conversation sérieuse avec lui. L'aborder en lui disant qu'il l'a vu avec la psy? Jamais de la vie. Aller le voir en plaisantant comme d'habitude? Encore moins.

Pendant que Félix se demande toujours comment il pourrait approcher son ami, deux coups à sa porte le font sursauter.

— Dors-tu, Rippy ? murmure Fréchette.

— Non, entre, Pat, répond Félix en se levant. J'étais sur le site de la ligue… avec notre victoire contre Baie-Comeau, on est rendus tout seuls au troisième rang de la division, lance-t-il bêtement, ne sachant pas quoi dire d'autre.

— Faut que je te parle, se contente de dire Fréchette en s'assoyant au bout de son lit.

Sans dire un mot, Félix se retourne et pose ses bras en croix sur le dossier de sa chaise de bois. Après avoir fixé le sol, son coéquipier relève la tête pour lui parler. Une larme coule sur sa joue. Le hockey étant un sport d'émotions, Félix a souvent vu des gars pleurer devant lui. Toutefois, il n'a jamais croisé ce genre de regard. Dans les yeux de Fréchette, il ne perçoit pas de rage, d'amertume, de haine, de peine, de découragement ou de sentiment d'injustice. Et ça ne semble pas non plus être une larme de joie…

Félix se sent impuissant et cherche désespérément quelque chose à dire pour rompre le silence. Rien d'intelligent ne lui vient à l'esprit, alors il continue de regarder cette larme couler au ralenti. Elle poursuit doucement sa chute jusqu'au menton de Fréchette qui la fait disparaître en s'essuyant avec la manche de son chandail.

— Je lâche les Huskies et je retourne à Drummond, annonce soudainement Fréchette. Je voulais que tu sois le premier à le savoir. C'est pas une décision facile et ça fait très longtemps que j'y pense. En fait, pour être honnête, j'aurais jamais dû venir jouer à Rouyn-Noranda.

— Pourquoi tu dis ça, Pat ? T'es important pour l'équipe et on a besoin de toi. T'as aucune raison d'abandonner le hockey ! s'écrie Félix, pantois.

— Ça a pas rapport avec les Huskies. Ma vie est pas ici, en Abitibi. Ma vie est à Drummondville.

— T'as juste à demander un échange avec les Voltigeurs. Pas besoin de lâcher le hockey, suggère Félix.

— C'est beaucoup plus compliqué que ça.

— Ben non, c'est pas compliqué. Y a un paquet de joueurs qui le font. Je suis certain que Lafrenière pourrait t'arranger ça. Si tu veux, demain matin, j'irai le voir avec toi pour lui parler. Il m'aime bien, je pense, et il va m'écouter.

— T'es vraiment trop gentil, Rippy, répond Fréchette en laissant paraître une première lueur de joie. Si tout le monde était comme toi, la vie serait pas aussi compliquée. T'es la personne que j'aime le plus et que je respecte le plus à Rouyn, alors je vais te faire confiance. Si tu me jures de jamais raconter ça à personne, je vais t'expliquer pourquoi je lâche. Je te dois bien ça.

— Tu me dois rien pantoute, Pat. T'es pas obligé de me dire quoi que ce soit… Mais je pense que je sais pourquoi tu veux plus jouer. C'est à cause de ton père ?

— Je m'en fous tellement, de mon père! C'est juste un gros con. Il veut plus me voir et c'est pareil pour moi, réplique rudement Fréchette.

— T'as mis une fille enceinte à Drummondville cet été? tente Félix.

— Ben non. C'est pas ça non plus. Arrête de chercher, tu devineras pas de toute façon. Est-ce que tu me jures que tu vas fermer ta gueule?

— C'est certain. Tu peux me faire confiance.

Patrick Fréchette commence par lui expliquer que l'idée de partir lui était passée par la tête la saison dernière, un peu avant le congé de Noël. Il a de nouveau voulu abandonner pendant l'été, mais le changement d'entraîneur l'a motivé à revenir à Rouyn-Noranda. Il croyait que cela l'aiderait peut-être à retrouver le plaisir de jouer. Cependant, rien n'a changé et, à force de réfléchir, ce week-end, il a finalement compris que sa souffrance intérieure n'était pas reliée à ses problèmes sur la patinoire.

Depuis bientôt une semaine, un seul sujet de conversation intéresse les gars dans le vestiaire et c'est l'histoire de la pension de Frédéric Boucher. Ce petit conflit anodin a curieusement cimenté l'équipe. Les gars n'ont pas cessé de se moquer amicalement de Boucher et de raconter toutes sortes de légendes urbaines sur des femmes de pension. Boucher est officiellement devenu un membre de la meute des Huskies en fin de semaine, ce que même son talent prometteur n'avait pu lui garantir. Il aura fallu presque dix mois avant que les vétérans l'acceptent complètement et le traitent en égal.

— T'as peut-être raison, mais je vois pas le rapport. Tu fais partie de la gang autant que tout le monde. C'est juste que t'es un genre de gars plus tranquille, intervient Félix, qui ne saisit pas ce que les déboires sentimentaux du jeune Boucher ont à voir avec la décision de Patrick.

— Je veux pas être dans votre gang. Je *peux* pas être dans votre gang, Rippy, riposte Fréchette d'un ton sec.

Félix n'ose plus rien dire. Plus il écoute son coéquipier et moins il comprend.

— C'est pas ma gang et ça sera jamais ma gang, poursuit Fréchette en sanglotant. J'ai un chum, Félix. Il s'appelle Simon, il a dix-neuf ans et il vit à Drummond.

— Un chum dans le sens de… chum, comme, amoureux, genre ? bégaie Félix, mal à l'aise face à une confidence aussi importante.

— Oui. Je suis en couple avec un gars depuis presque trois ans…

— Mais c'est pas grave, ça, Pat ! Qu'est-ce que ça change pour le hockey ? Que t'aimes un gars ou une fille, t'es un Huskie pareil.

— Non. Ça change tout et tu peux pas comprendre. Tu remarqueras, y a seulement deux choses qui vous unissent dans le vestiaire : le hockey pis les filles. Et je pense que les filles viennent avant le hockey dans la liste de priorités des trois quarts des gars. Tout le monde a parlé d'histoires de cul toute la fin de semaine et on n'a jamais eu autant de fun. Moi, je peux pas embarquer là-dedans.

— Tu peux être dans le club pareil. Je comprends pas le lien.

— Le lien, c'est que, moi, je suis pas bien. Un vestiaire de hockey, c'est pas mon monde… C'est pus mon monde. Ça fait depuis l'âge de quatorze ans que je sais que je suis gai, j'étais à ma deuxième année bantam. C'était pas si difficile au début, mais maintenant, c'est trop dur à gérer. J'ai pus envie de jouer à la cachette, de mentir aux autres et de me mentir à moi-même. Et j'ai encore moins envie que ça se sache dans le vestiaire. C'est un monde trop macho. Ça passerait pas.

— Je suis pas certain que ça passerait pas… Tu peux pas le savoir d'avance. Moi, ça me dérange pas pantoute pis je suis sûr que ben des gars de l'équipe penseraient comme moi, affirme Félix avec conviction.

— J'ai pas le goût de devenir le porte-étendard gai de la ligue, de servir d'exemple pis de me ramasser à *Tout le monde en parle* un dimanche soir. J'ai-tu le droit ? Nomme-moi un homosexuel avec qui t'as joué junior… Non, nomme-moi un gars que tu connais et qui a déjà joué avec un gai rendu au niveau junior.

— Vite de même, c'est sûr que je connais personne.

— C'est clair que tu connais personne parce que c'est impossible. J'en connais, des gais qui sont bons au hockey, pis y en a pas un seul qui a essayé de se rendre au junior majeur. C'est trop *tough*. Les gars lâchent avant. Moi, au moins, j'aurai le mérite d'avoir essayé, mais je veux pas continuer. Je suis jaloux de vous autres. Vous êtes heureux alors que je passe mon temps à inventer des mensonges pour cacher la vérité. J'ai le goût d'avoir du fun, moi aussi, pis de triper comme vous autres. C'est pour ça que je retourne à Drummond. Je vais aller voir monsieur Lafrenière demain pour lui annoncer ma retraite. Je vais juste dire que je préfère me concentrer sur mes études.

— Ouais… c'est toute une nouvelle, ça, soupire Félix, encore sous le choc.

— Tu t'es jamais douté de rien ? questionne Fréchette.

— Jamais de la vie… Sinon, penses-tu que j'aurais pris ma douche en même temps que toi à l'aréna ? ne peut s'empêcher de lancer Félix en riant.

— T'es vraiment niaiseux, rigole Fréchette. Tu vas fermer ta gueule ?

— Oui, je te le jure. Jamais personne va le savoir et dis-toi que ça change rien à mon amitié pour toi.

7

Encore un départ

Personne à Rouyn-Noranda n'avait anticipé le départ de Patrick Fréchette. Pendant que les journalistes spéculent sur ses motivations, Russell Toussaint et Dany Lafrenière cherchent à comprendre ce qui peut soudainement l'avoir poussé à abandonner le hockey au profit de ses études, surtout qu'il quitte les Huskies en plein milieu de sa session de cégep. Bizarrement, dans le vestiaire, la question ne suscite pas tellement d'intérêt. D'un naturel plutôt effacé, Fréchette n'y comptait que Félix comme véritable ami. La plupart des attaquants considèrent plutôt sa retraite comme une occasion imprévue d'améliorer leur temps de jeu. Loïc Penosway est possiblement celui qui se réjouit le plus de cette surprenante annonce. Utilisé de façon sporadique, c'est lui qui devrait logiquement bénéficier le plus du départ d'un joueur régulier comme Fréchette.

Le gros Amérindien de Lac-Simon a effectivement raison d'être ravi, car, dès la première séance d'entraînement, il passe des gradins au quatrième trio. Il y a toutefois une victime collatérale. Employé à l'aile droite en compagnie des deux Tchèques, Félix est muté à sa position naturelle, au centre, afin de pallier la perte de son ancien coéquipier. En théorie, cette permutation devrait être une excellente nouvelle pour le numéro 57 des Huskies. Pourtant, il n'en est rien, puisqu'il aura dorénavant la mission de contrer les meilleurs éléments adverses.

Le jeudi, à l'aube du premier match du week-end, constatant que ses fonctions n'ont pas changé depuis le début de la semaine, Félix décide d'aller rencontrer Toussaint pour poliment lui faire part de ses doléances. Après l'entraînement, avant de se rendre chez les Casault, il fait un petit détour par le bureau de l'entraîneur-chef.

— T'es jamais heureux, toi, Riopel ! riposte Toussaint, se sentant attaqué. Tu voulais pas jouer à l'aile. Là, je te retourne au centre, pis c'est pas à ton goût parce que c'est pas dans le rôle qui te plairait. J'ai déjà joué sur des trios défensifs à Dallas et ça m'a jamais empêché de produire.

— J'ai pas dit que j'étais pas heureux. J'ai juste demandé pourquoi c'est moi qui me ramasse là.

— À l'attaque, l'avenir du club, c'est les deux Tchèques pis Bourbonnière. Je les mets ensemble sur la première ligne et c'est tout. Ces trois gars-là vont se faire drafter de bonne heure cette année. Ensuite, il y a Archy, notre capitaine, un joueur de centre de vingt ans qui fonctionne bien avec Vanelli depuis le début de la saison. Boucher va bien faire avec eux à la place de Bourbonnière sur la deuxième ligne. Toi, t'es donc rendu notre troisième joueur de centre, pis tu vas être plus utile là que si je te laisse à l'aile sur une des deux premières lignes. Ça va-tu mieux maintenant que je t'ai tout expliqué ? conclut Toussaint, visiblement exaspéré.

— Attends un peu… T'es en train de me dire que Jedlicka et Archambault sont meilleurs que moi ? le relance Félix.

— Peut-être pas meilleurs, mais plus utiles que toi sur un des deux premiers trios. T'es au centre de la troisième ligne et c'est logique pour tout le monde sauf pour toi.

— Si je comprends bien, à ma troisième année junior, j'ai pus ma place sur un des deux premiers trios. Dans le fond, c'est ça, l'affaire ?

— Pour le moment… oui, c'est ça, répond l'entraîneur-chef.

Furieux, Félix a du mal à contenir sa colère. Il trouve que les explications de Toussaint n'ont aucun sens. Plutôt que de claquer la porte, il le remercie poliment et quitte la pièce sans faire de vagues. En marchant vers sa pension, toujours fou de rage, il songe à contacter Dany Lafrenière, puis se dit que ça ne changerait rien. Il est évident que le directeur général a une confiance aveugle en son nouvel entraîneur. Autant il semblait auparavant tenir son bout lorsqu'il fallait raisonner Richard Caisse, autant il paraît impressionné par l'ancienne vedette des Stars. Félix décide qu'il vaut mieux téléphoner à Christian Champagne pour essayer d'y voir clair.

— Calme-toi, Félix ! Je te répète que ça change rien pour les Kings, lui explique son agent au bout du fil. Aborde la situation de façon positive en te disant que tu vas ajouter une corde à ton arc en jouant sur un trio défensif.

— J'ai pas été repêché pour mes qualités en défensive, réplique froidement Félix.

— Je le sais. T'as raison. C'est pas ce que je te dis. Je te dis qu'au lieu de te rebeller, tu devrais essayer de faire la job du mieux que tu peux. Moi, je vais parler aux Kings pis à Lafrenière. En attendant, laisse pas Toussaint te jouer dans la tête. Concentre-toi sur ton jeu et les occasions vont venir. Dis pas de niaiseries, écris pas de conneries sur Twitter ou Facebook. C'est juste une mauvaise passe et c'est normal que ça se produise au moins une fois par saison. C'est pas la première fois que ça t'arrive, c'est sûrement pas la dernière, et t'as malheureusement aucun contrôle là-dessus.

— Oui, je sais, "je dois me concentrer sur les choses que je peux contrôler", récite Félix. Le gars qui a inventé cette phrase-là aurait dû imprimer des t-shirts. Aujourd'hui, il serait riche en sacrament !

> Pour une fois que tout allait bien, faut que le nouveau coach me fasse ch*& ?$er… grrrr

Après souper, Félix devait rejoindre quelques coéquipiers pour aller au cinéma. Il préfère finalement aller courir en solitaire et passer le reste de la soirée dans sa chambre. Déprimé, il n'a le goût de voir personne et il se dit qu'il risque d'être dans le même état d'esprit pour au moins quelques jours encore.

DE FÉLIX À LINE et VÉRONIQUE

> Montez pas en Abitibi pour rien en fds.
> Annulez le voyage svp. Je joue pas. ☹
> Je suis rendu sur la 3e ligne.

Les Huskies amorcent le mois de novembre en disputant deux rencontres à domicile pour un deuxième week-end de suite. Le vendredi, Rouyn-Noranda l'emporte assez aisément 5 à 2 face aux Islanders de Charlottetown. Utilisé sur un trio défensif pour la première fois depuis des lustres, Félix s'acquitte bien de sa mission. Désireux de montrer à Toussaint qu'il est prêt à tout pour gagner et qu'il fait passer les intérêts de l'équipe avant les siens, il bloque même trois lancers. Bien servi par son instinct et son anticipation, il intercepte deux passes dans son territoire pour filer en échappée sans toutefois pouvoir capitaliser une fois seul devant le gardien.

Le dimanche, l'Armada de Blainville-Boisbriand vient surprendre les Huskies sur leur propre terrain. Les visiteurs l'emportent 2 à 1 et, contrairement à l'affrontement du vendredi, cette fois Félix touche un peu à la glace en avantage numérique alors que Toussaint l'utilise à la pointe sur la deuxième vague de l'attaque massive. Comme les défenseurs Loiselle et Denommé demeurent longtemps sur la patinoire quand Rouyn-Noranda déploie son attaque à cinq, le petit numéro 57 n'hérite que de quelques grenailles. Après la partie, il se déshabille en vitesse sans parler à qui que ce soit et, même si sa conscience lui répète que c'est moralement inacceptable, il se réjouit intérieurement du revers de son équipe.

Malgré cette défaite, l'entraîneur-chef ne révise pas sa stratégie. Le mardi, en arrivant dans le vestiaire après avoir bénéficié d'une journée de congé la veille, Félix constate à regret que les trios demeurent inchangés.

— Fais-moi une place, lance bêtement Loïc Penosway à Félix en guise de bonjour.

Les yeux rivés sur le journal, Félix n'avait pas vu son coéquipier arriver. Sans rien répondre, il saisit son manteau et son sac pour libérer l'espace devant lui. Il avait volontairement disposé ses effets personnels sur cette chaise pour que personne ne vienne s'asseoir à sa table.

— Je vais prendre un café, quatre œufs, du jambon avec six toasts au pain brun et des cretons, s'il vous plaît, demande le gros Amérindien à la serveuse venue prendre sa commande.

— Je sais pas comment tu fais pour boire du café, c'est tellement dégueulasse, commente Félix sans lever la tête, en continuant sa lecture des pages sportives.

Penosway se contente de faire la moue sans répliquer. En attendant son assiette, il s'amuse avec un nouveau jeu qu'il a téléchargé la veille sur son téléphone intelligent. D'un naturel laconique, ce n'est pas lui qui va se forcer pour engager la conversation avec son coéquipier.

Le club est arrivé à Sherbrooke tard la veille. L'autobus des Huskies doit quitter l'hôtel à dix heures et l'entraînement matinal aura lieu à onze heures trente.

— Où sont les autres? interroge Félix en tournant une page.

— Ils dorment encore.

— C'est vrai que l'autobus part juste dans deux heures. J'avais réglé mon cadran pour neuf heures, mais j'étais pus capable de dormir.

— Même affaire pour moi, rétorque Penosway en trempant la moitié d'une rôtie dans un jaune d'œuf. Si je joue pas plus encore à soir, demain je crisse mon camp, ajoute-t-il avant d'engloutir cette énorme bouchée.

— Dis pas de conneries, lâche Félix sans accorder de crédibilité à la confidence de son ami.

— Je niaise pas, Rippy. Si Toussaint me fait encore jouer juste trois ou quatre minutes, je m'en vais.

— Ben oui… me semble. Pis où est-ce que tu vas aller?

— Nulle part. Je vais juste arrêter de jouer au hockey. Je vais retourner à Lac-Simon.

— Fais pas le tata. On a pas eu de blessés encore cette année. Tu vas finir par avoir plus de temps de glace. Penses-tu que j'ai du fun, moi, sur la troisième ligne? J'ai été plus souvent sur la patinoire dans une partie hors concours de la Ligue nationale avec les Kings qu'en fin de semaine dans le junior. Trouves-tu que c'est normal, ça?

— T'as raison, c'est pas normal. Mais ça change rien à mon histoire. J'aime pas le nouveau coach, avoue Penosway. Il me parle jamais. Il me traite comme un numéro. Richard Caisse était peut-être *tough* avec moi, mais au moins, il savait mon nom.

Il traitait tout le monde égal, que tu sois un joueur vedette ou un gars de quatrième ligne. Quand ça marchait pas à son goût, je savais pourquoi. Mais quand je demande à Toussaint ce que je fais de pas correct, il me dit que tout est beau, de continuer à travailler fort et qu'il a rien à me reprocher.

— C'est vrai que j'ai de la misère à le suivre, moi aussi. Quand même, je t'interdis de lâcher l'équipe. On a besoin de toi !

Quelques heures plus tard, la rondelle tombe au Palais des Sports. Le gardien Félix Ouellet accorde deux mauvais buts dès le début de la rencontre, puis le Phoenix profite d'une supériorité numérique pour augmenter son avance à 3 à 0 au milieu de la période. Tirant de l'arrière, l'entraîneur-chef utilise abondamment ses deux premiers trios pour essayer de réduire l'écart avant de retraiter au vestiaire. Frustré et impuissant, Félix attend son tour en piaffant d'impatience. Il jette un coup d'œil au bout du banc. Penosway et les autres gars du quatrième trio espèrent toujours sauter sur la patinoire pour une première fois. Et leur tour ne viendra pas tout de suite, car Sherbrooke vient de se faire surprendre avec un homme en trop sur la glace.

Toussaint donne une tape sur l'épaule de Félix en lui demandant de jouer au centre entre Vanelli et Boucher. Postés à la pointe, Denommé et Loiselle complètent la première vague de la supériorité numérique.

Les patins solidement ancrés dans la glace, penché vers l'avant au maximum, la main droite serrant fermement le bas de son bâton, prête à ramener la rondelle vers l'arrière, Félix surveille le geste de l'officiel. Mais le joueur de centre du Phoenix le bat de vitesse. Un défenseur adverse dégage et les Huskies doivent préparer une nouvelle percée en territoire ennemi.

Rapide et agile, Denommé s'empare de la rondelle derrière son filet puis patine avec énergie.

— Ici ! Donne-moi le *puck* ! crie Félix alors qu'il accélère en zone neutre.

Denommé feint la passe. Quand les joueurs du Phoenix réagissent et se déplacent, le jeune défenseur en profite pour se faufiler dans une ouverture. On l'accroche à la ligne bleue. L'arbitre signale une autre punition à la formation sherbrookoise. Les visiteurs attaqueront à 5 contre 3 pour 1:37.

Félix regarde vers le banc de son équipe. Debout derrière les joueurs, Toussaint garde les bras croisés. Félix retourne se placer dans le cercle des mises en jeu à la gauche du gardien du Phoenix. Cette fois, c'est lui qui balaie la rondelle le premier. Loiselle la récupère et la relaie tout de suite à Denommé sur sa gauche. Patient, le défenseur recrue cherche une brèche pour décocher un tir. Il se déplace vers sa droite en longeant la ligne bleue puis, au moment où un rival s'amène vers lui pour le forcer à prendre une décision, il passe habilement du revers à Félix qui n'avait pratiquement pas bougé. Le bâton déjà armé, attendant le relais, il dégaine dès que la rondelle arrive et bat le cerbère du Phoenix avec un tir sur réception tout aussi puissant que précis.

Félix se laisse choir sur ses genoux. Après de courtes célébrations, ses coéquipiers et lui se dirigent vers le banc pour frapper dans les gants des autres joueurs qui célèbrent, debout contre la rampe. L'index tendu, l'entraîneur-chef décrit un rond imaginaire devant lui, à la manière d'un signaleur routier qui demande aux voitures d'avancer, un geste qui signifie que ceux qui sont sur la glace vont demeurer dans le feu de l'action. À la suite de ce but, la première punition est terminée et il reste encore 1:44 à écouler à la seconde infraction.

Le même groupe de joueurs reprend position et l'action se transporte au centre de la patinoire. Dans un geste vif du revers, Félix remporte à nouveau la mise en jeu. Loiselle s'empare de la rondelle, avance de quelques mètres et la propulse dans le fond du territoire ennemi dès qu'il franchit la ligne rouge. Déjà en accélération, Vanelli s'amène en trombe dans le fond de la zone adverse, où il arrive en premier. Posté dans le coin, il remet derrière à Boucher qui, lui, envoie tout de suite à Denommé, stationné à la ligne bleue. Défensivement, les joueurs du Phoenix sont bien positionnés et Denommé n'aperçoit aucune ouverture pour tirer. Quand un rival s'avance vers lui, il veut passer à Loiselle de l'autre côté, mais ce dernier est bien couvert. Pour ne pas voir son tir bloqué, il lance délibérément à côté du filet. La rondelle frappe la bande et rebondit sur la palette de Félix qui marque en visant entre les jambières du gardien.

En quelques secondes seulement, l'écart est réduit à 3 à 2 et les Huskies retournent au vestiaire avec un seul but de retard. La stratégie de Toussaint a porté fruit.

— *Nice job, guys!* lance l'entraîneur-chef en se pointant dans le vestiaire alors que les joueurs finissent de retirer casque, chandail, épaulettes et protège-coudes. On pourrait mener cette partie-là, mais ça pourrait être pire aussi. Grosse première période, Denommé. Tu leur as fait prendre une punition, t'as préparé les deux *goals*… T'es *sharp* à soir et faut que ça reste comme ça. Continue de bouger tes pieds et de patiner.

— Oui, coach, répond machinalement le jeune arrière des Huskies avant d'avaler une gorgée de Gatorade bleu.

— T'as fini par débloquer, Riopel. Il était temps. Reste concentré sur ta *game* sans courir après ton tour du chapeau. Tu vois ce que ça fait quand tu gardes ça simple.

— Ouin… Pis tu vois ce que ça fait quand je suis pas sur un trio défensif, réplique Félix sans réfléchir à la réaction que sa boutade pourrait provoquer.

Un silence soudain suit le commentaire impertinent de l'attaquant. Du coup, tous les joueurs cessent leurs activités. Sans bouger la tête, ils tournent tous les yeux vers Toussaint qui s'apprêtait à rebrousser chemin vers son bureau avec ses adjoints. L'entraîneur-chef se retourne lentement. Habitués aux accès de colère de Richard Caisse, tous anticipent une réplique virulente et peut-être même un peu de casse.

— Tu te penses *hot* parce que t'as joué une partie en haut… pis même pas une vraie partie. Regarde, dit-il à Félix avant de faire une pause. Ça, c'est une bague de la coupe Stanley. Quand t'en auras gagné une comme ça pis que tu seras au Temple de la renommée du hockey, tu pourras me donner ton avis, poursuit-il sans lever le ton, mais en regardant son joueur avec dégoût. En attendant, ferme ta petite crisse de gueule sale pis fais ce que je te demande, un point, c'est tout.

Félix aurait envie de lui répliquer bien fort : « Et elle est où, ta bague de coach ? » Toutefois, il sait qu'il vient de dépasser les bornes, alors il prend soin de ne rien ajouter.

— T'es ben épais, Rippy, ne peut s'empêcher de commenter Liam-Tomas Joyal, assis à l'autre bout du vestiaire.

Félix n'avait pas besoin de se le faire dire. En finissant sa phrase, il savait déjà qu'il venait de commettre un impair. Jamais il ne s'était permis ce genre de commentaire irrespectueux dans le passé. La tête penchée vers le sol, fixant ses patins, il se demande pourquoi il a osé laisser sortir ces mots de sa bouche. Alors que ses coéquipiers recommencent leur routine, il décide de ne pas laisser traîner les choses et d'aller présenter tout de suite ses excuses à Toussaint.

— Je suis désolé, coach. C'est sorti tout seul. J'aurais jamais dû dire ça, confesse Félix sans oser entrer complètement à l'intérieur du bureau destiné à l'entraîneur du club visiteur.

— T'as le droit de penser ce que tu veux. T'as même le droit de venir me voir pour t'expliquer ou poser des questions, répond sèchement Toussaint. Mais t'as jamais le droit de me contester devant le groupe. Ce que tu viens de faire est inacceptable. T'avais juste à y penser avant… Maintenant, décâlisse.

Quelques minutes plus tard, quand l'action reprend, Félix n'a pas tellement la tête au hockey. Incapable d'oublier sa bévue, il pense à ce que son agent Christian Champagne va dire, à ce que Toussaint va raconter, à ce que Martin Dion, le dépisteur des Kings au Québec, va penser de cette histoire. À sa grande surprise, le petit numéro 57 ne saute pas un seul tour régulier sur le troisième trio… sauf qu'il ne retourne pas sur la patinoire lors des attaques massives.

Finalement, les Huskies remontent la pente et renversent le Phoenix 6-4. Troisième étoile du match avec deux buts et une passe, Félix n'a pourtant pas le cœur à la fête.

Le samedi matin, l'autobus doit quitter Sherbrooke à onze heures en direction de Shawinigan, où la troupe abitibienne disputera un deuxième match en vingt-quatre heures.

Après l'incident de la veille, Félix est le premier à bord. Quarante minutes avant le départ, il est assis dans la dernière rangée, comme d'habitude, et il écoute paisiblement du Jack Johnson. Il aimerait pouvoir revenir dans le temps et ne pas laisser échapper sa réplique insolente. Jusqu'à présent, c'est comme si rien ne s'était passé. Personne n'est revenu sur le sujet. Pas même un de ses coéquipiers. Comme il a été incapable de trouver le sommeil la veille, il s'endort.

— Rippy, as-tu vu l'Indien ? lui demande Adam Bourbonnière en panique.

— T'es dans la même chambre que lui, tu devrais savoir où il est.

— Arrête de niaiser. L'as-tu vu, oui ou non ? Le bus part dans deux minutes pis il est pas encore arrivé.

— Non. T'as juste à lui téléphoner. C'est pas compliqué, me semble, répond Félix, agacé.

— Qu'est-ce que tu penses? Ça fait cent fois que je l'appelle pis il répond pas! riposte Bourbonnière en rebroussant chemin pour reprendre ses recherches.

Préoccupé par ses propres problèmes, Félix n'a jamais remarqué, la veille, que les membres du quatrième trio n'avaient effectué que quelques présences sporadiques. Si tout le monde cherche Loïc Penosway, c'est qu'il a vraisemblablement mis sa menace à exécution et qu'il a déserté l'équipe. « Essayez de le trouver! C'est pas moi qui vais vous dire où il est », songe-t-il avec un petit sourire narquois.

Tu devrais voir la battue pour te trouver à matin à Sherbrooke!!! ☺ T'es rendu où, Peno?

Lol. Dis pas un mot! Toussaint pis Lafrenière appellent aux 30 secondes!

MDR… mais t'es où, batinse?

Chus rendu à Brossard. Je retourne chez nous sul pouce! C'est fini les Huskies… I told you dude!

Tout aussi impressionné par la décision de son ami que par son audace de retourner à Lac-Simon en auto-stop, Félix ne peut réprimer un faible rictus de contentement. Par la fenêtre, il aperçoit Toussaint qui gesticule en parlant au téléphone et en faisant les cent pas devant l'entrée de l'hôtel. « Il va sans doute m'oublier… au moins pour la journée », se dit-il en refermant les yeux.

8

Le retour de Richard Caisse

Ce n'est pas l'action qui manque à Rouyn-Noranda. Christian Laperrière, du journal *La Frontière*, a été le premier à localiser Loïc Penosway. Le journaliste l'a facilement retracé chez lui, à Lac-Simon, le dimanche après-midi, grâce à la complicité de Félix. Depuis que Gabriel Gauthier de *L'Abitibi Express* l'a placé dans l'embarras lors de sa première saison dans la LHJMQ, le petit attaquant refile parfois discrètement certaines informations à Laperrière. Comme les parents de Penosway ne répondaient pas au téléphone, personne n'avait la moindre information sur le jeune déserteur et c'est donc lui qui a appris la nouvelle à Dany Lafrenière.

Sans amertume ni la moindre animosité envers l'organisation, l'attaquant amérindien a expliqué à Laperrière qu'il ne se sentait plus valorisé et apprécié au sein des Huskies, au point qu'il en avait perdu son sentiment d'appartenance au clan. Tant qu'à s'entraîner fort et à faire des sacrifices pour rester cloué au banc ou être tout simplement assis dans les estrades, il a préféré abandonner le hockey. Dorénavant, il passera ses temps libres à trapper et à pêcher.

Reste quand même que deux joueurs viennent de quitter le navire en une semaine. Même s'il n'y a absolument aucun lien entre les abandons de Fréchette et de Penosway, il s'agit d'une curieuse coïncidence dont les dirigeants de l'équipe se seraient volontiers passés. Comble de malheur pour Dany Lafrenière, de la grande visite s'en vient à Rouyn-Noranda le week-end prochain, puisque Richard Caisse et l'Océanic affronteront les Foreurs à Val-d'Or vendredi soir avant de conclure ce bref périple dans le nord du Québec par une escale à Rouyn-Noranda, le dimanche en fin d'après-midi.

— Fallait ben que ça tombe en fin de semaine! tonne le directeur général en regardant Russell Toussaint et ses adjoints. Comme je connais Rick, il va sûrement vouloir faire tout un show en arrivant… Surtout qu'ils sont au deuxième rang de la ligue.

— Reviens-en, Dany. On parle d'un gars de quatrième trio qui jouait deux ou trois minutes par partie, pis d'un petit joueur de centre très ordinaire, rétorque Toussaint en regardant son patron avec un air offensé. C'est pas comme si on avait perdu un joueur important. On s'en sacre ben raide, de Fréchette pis de l'Indien.

— Pis je gage qu'on devrait aussi se crisser du texte que Laperrière a publié dans son journal à matin ? demande le directeur général en déposant un exemplaire de *La Frontière* sur le bureau de l'entraîneur-chef.

— *Come on*, Dan, t'es plus intelligent que ça. Je l'ai lu ce midi au restaurant, c'est du niaisage. Cet article-là existe juste parce que l'agent de Riopel a téléphoné à Los Angeles pour se plaindre. Pis après ça, Champagne a appelé le petit gars du journal pour lui dire que les Kings ne comprennent pas pourquoi on met leur joueur sur un troisième trio. Occupe-toi pas de ça. En plus, c'est sûr et certain que les Kings sont contents… mais sont pas pour le dire. Dans le fond, ça fait leur affaire que Riopel ne soit plus sur la première ligne parce qu'il s'enlignait peut-être pour connaître une saison de 100 points. Sais-tu combien ça leur aurait coûté pour qu'il signe son premier contrat ? Pas mal cher.

— T'as peut-être raison, mais reste qu'il faut trouver un moyen de battre Caisse en fin de semaine. Faut pas qu'il vienne gagner chez nous… pas cette semaine, cibole !

— C'est pas compliqué. Rimouski, c'est l'affaire d'un seul joueur : Cédrick Bernier. Ôte-le du club pis l'Océanic est une équipe très ordinaire, déclare Toussaint sous le regard de ses adjoints Pascal

Milette et Sébastien Mailhot, qui écoutent les deux hommes discuter sans se permettre d'intervenir.

Les deux adjoints savent que s'ils disaient ce qu'ils pensent – c'est-à-dire que leur ancien entraîneur-chef va faire tout ce qui est légalement possible pour que sa nouvelle équipe vienne humilier les Huskies –, cette conversation inutile se poursuivrait jusqu'à ce que tout le monde donne raison à Toussaint.

Et ils auraient visé dans le mille. Le jeudi en fin d'après-midi, alors que l'autobus de l'Océanic s'apprête à franchir les limites de la ville de Val-d'Or, Caisse se lève et fait signe à son capitaine de venir le rejoindre à l'avant pour s'asseoir avec lui. Du coup, Cédrick Bernier se demande ce que l'entraîneur va lui reprocher.

— Es-tu content de ta saison, Cédrick? lui demande l'entraîneur-chef sur un ton cordial.

— Pour être honnête, jusqu'ici je trouve que mon affaire va bien. C'est sûr que j'étais pas totalement dans mon assiette quand je suis revenu du camp des Flyers, parce que je pensais bien rester là. Mais je me suis remis dedans assez vite.

— Pour te dire franchement, je suis très fier de ton attitude. D'après moi, les autres gars non plus pensaient pas que tu reviendrais. Tout le monde est devenu meilleur dès ton retour à Rimouski, et ça, c'est la preuve que t'es un vrai bon leader, commente Caisse.

— Merci, coach. C'est très gentil, se contente de répondre Bernier.

— En tant que capitaine, tu expliqueras aux gars que c'est une petite fin de semaine spéciale. J'ai coaché en Abitibi pendant une couple d'années. C'est pas les tentations qui manquent ici, avec les nombreux bars, et vous savez que je suis extrêmement strict là-dessus en temps normal, dit Caisse en insistant lentement sur le mot « extrêmement ». En même temps, pendant une longue saison, on peut pas toujours être sérieux comme dans l'armée. J'ai un *deal* à te proposer…

— Quel *deal*, coach ? questionne le robuste attaquant de dix-neuf ans.

— Si on gagne demain soir contre les Foreurs, vous aurez votre vendredi soir de libre après la *game* pour sortir à Val-d'Or. Je vais mettre le couvre-feu à trois heures du matin. Samedi, on aura un léger entraînement vers seize heures. Et la dernière petite ligne écrite en caractères minuscules au bas du contrat, c'est que je m'attends à ce que tout le monde soit *top shape* dimanche pour la deuxième *game* du voyage. C'est du donnant-donnant. Je vous fais un cadeau, mais venez pas me chier dans les mains dimanche. T'expliqueras ça aux *boys* demain, avant la partie.

— Qu'est-ce qu'on fait avec les *kids* qui n'ont pas encore dix-huit ans ?

— Ben là, arrangez-vous entre vous autres ! Faites comme quand vous sortez à Rimouski. Si c'est trop compliqué, dis-le tout de suite, je vais tout annuler. Je suis pas animateur au Club Med, conclut Caisse d'un ton sec.

— C'est beau, coach. Je m'en occupe, fait Bernier avant de se lever pour retourner vers l'arrière avec un sourire éclatant accroché au visage.

Alors que tous ses coéquipiers le regardent avec un air interrogateur, il tourne les talons et revient vers l'entraîneur-chef.

— *By the way*, on va en sacrer toute une aux Huskies dimanche, murmure le capitaine en se penchant vers Caisse, qui acquiesce d'un simple hochement de tête.

Vendredi matin, après l'entraînement des Rimouskois, tous les journalistes sportifs affectés à la couverture du hockey en Abitibi attendent avec impatience Richard Caisse. Sous sa gouverne, les Huskies ont connu de fastes saisons et ils sont même venus à un but près de remporter la Coupe Memorial, deux ans plus tôt. En plus d'avoir laissé derrière lui des statistiques impressionnantes, sa forte personnalité et son langage coloré ont fait de Caisse un personnage plus grand que nature à

Rouyn-Noranda. Avec lui, faire de la bonne copie était un jeu d'enfant. Il est vrai qu'aux yeux de certains, il n'était peut-être pas toujours commode. En revanche, puisque ses sautes d'humeur se voulaient assez prévisibles, les reporters qui le côtoyaient sur une base régulière savaient très bien quand il fallait éviter de lui marcher sur les pieds.

Devant cette faune qu'il connaît parfaitement, Caisse joue la carte de l'humilité et de la reconnaissance. Il rappelle d'abord à quel point il a vécu des années inoubliables à Rouyn-Noranda, puis mentionne combien il est impressionné par la progression de son ancienne formation, dirigée de main de maître par l'ex-vedette des Stars.

— C'est certain que c'est spécial ! J'ai passé cinq ans de ma vie ici et j'ai eu la chance de nouer de solides liens d'amitié avec des gens fantastiques, explique-t-il, appuyé sur la rampe au banc du club visiteur. Mais aujourd'hui, je suis du côté des méchants et ce n'est pas un voyage facile qui nous attend. Personnellement, je pense que c'est une bonne chose qu'on joue ici en premier, dit-il en levant les bras pour présenter le Centre Air Creebec à la manière d'un guide qui entre dans un musée. Ça risque d'être émouvant dimanche.

— Gardez-vous un œil sur ce qui se passe à Rouyn ? demande Daphnée Lemieux, une nouvelle animatrice de radio fraîchement débarquée en Abitibi.

— Pas vraiment, mademoiselle, répond-il en mentant sans retenue. J'ai tellement de travail comme entraîneur-chef et directeur général que j'en ai déjà plein les bras avec mon club à Rimouski. Je regarde le classement comme tout le monde... Pour le reste, selon ce qu'on raconte à travers la ligue, il paraît que Dany Lafrenière et Russell Toussaint font un travail colossal. Y a une autre chose que je sais : les Huskies vont être prêts dimanche. Leurs deux premiers trios peuvent marquer des buts à chaque présence. Le petit Bourbonnière et les deux Tchèques sont déjà des vedettes dans la ligue alors que Denommé et Loiselle sont certainement parmi les meilleurs défenseurs juniors au pays. Ça va être un bon test pour nous.

Quand le groupe se disperse, Caisse continue de bavarder à bâtons rompus en compagnie de quelques journalistes avec qui il a développé une bonne relation lors de son passage en Abitibi. Après toutes ces années passées à se voir sur une base quotidienne, le ton est cordial et tout ce qui se dit demeurera sous le sceau de la confidentialité. Malin, l'ancien entraîneur des Huskies laisse surtout parler les autres.

Quelques heures plus tard, l'Océanic ne fait qu'une bouchée des Foreurs qui voient une belle séquence de six victoires à domicile prendre fin abruptement. Mené par son capitaine Cédrick

Bernier qui fait mouche à trois occasions, Rimouski l'emporte aisément 5 à 2.

Après la rencontre, c'est la fête dans le vestiaire du club visiteur. La musique joue à tue-tête alors que tous les joueurs sans exception célèbrent leur gain en chantant et en dansant. Les journalistes de Val-d'Or sont unanimes pour dire qu'ils ont rarement vu une formation avec un esprit d'équipe aussi solide!

Un peu plus d'une heure après que la sirène a annoncé la fin de la partie, Richard Caisse quitte l'amphithéâtre en solitaire. Les mains dans les poches, le col de son veston relevé pour lui réchauffer les joues, il marche d'un pas rapide en se disant qu'il a été bête de ne pas avoir apporté un manteau dans ses bagages. Il songe aussi à ses joueurs qui doivent déjà avoir commencé à faire la fête et aux amis qui l'attendent en ce moment, à quatre coins de rue du Centre Air Creebec, dans un petit bistro sympathique où l'on devrait jouer du blues ce soir.

— Monsieur Caisse! crie un homme qui court derrière lui dans la pénombre. Attendez-moi trente secondes, s'il vous plaît, j'aimerais ça vous parler juste un instant, continue-t-il, tout essoufflé.

— Monsieur Penosway! Quelle belle surprise! lance l'entraîneur-chef de l'Océanic en le reconnaissant. Qu'est-ce que vous avez à courir comme ça à onze heures du soir?

— Je vous attendais dehors sur le bord de la porte et je ne vous ai pas vu passer. Je suis venu à Val-d'Or parce qu'il faut absolument que je vous parle de mon fils Loïc. C'est très important.

Inquiet, Caisse perd instantanément son sourire et il s'approche de son interlocuteur. Son corps qui maudissait l'Abitibi et qui grelottait il y a trente secondes à peine ne ressent soudainement plus le froid.

— Loïc a lâché les Huskies. Il ne veut plus rien savoir du hockey. Il ne va plus à l'école non plus, parce que Lac-Simon, c'est trop loin du cégep de Rouyn. J'aimerais ça que vous lui parliez, s'il vous plaît. J'ai beau lui dire de se reprendre en main, j'ai l'impression que si ça venait de vous, ça aurait plus d'impact. Vous savez, je suis son père mais ce que je dis n'a aucune importance pour lui.

— C'est certain que je vais lui parler, monsieur Penosway. Où il est en ce moment ? demande Caisse.

— Il est à la maison, sur la réserve. Je voulais vous rencontrer tout seul en premier. Je me disais que je pourrais peut-être l'amener demain, si vous êtes d'accord pour lui faire un petit *pep talk*.

— Demain, on va s'entraîner ici à seize heures, mais venez pas à Val-d'Or. J'ai encore plusieurs chums dans le coin et y en a un paquet qui m'en doivent une. Je vais facilement pouvoir emprunter une auto et j'irai vous voir chez vous, à Lac-Simon. Je me souviens du chemin, affirme Caisse qui se rappelle le brunch de la saison précédente où Carey Price était venu parler aux Algonquins et aux joueurs des Huskies. Est-ce que ça vous va si on se rejoint à la salle municipale vers treize heures ?

— Absolument. C'est trop gentil de votre part, monsieur Caisse, et j'ai hâte que Loïc vous voie. Ça va être une belle surprise pour lui. Vous êtes une bonne personne, conclut-il en lui serrant la main, les yeux brillants.

Malgré le soleil étincelant qui brille sur l'Abitibi, il fait aussi froid que la veille. C'est peut-être même un peu plus frisquet avec ce vent glacial qui souffle férocement en provenance du nord. À bord d'une vieille camionnette rouillée qu'une amie lui a passée, Richard Caisse reconnaît rapidement les lieux en arrivant à Lac-Simon.

De loin, il repère Loïc et son père qui attendent près de la porte du Centre municipal. Inattentif, il applique les freins à la dernière seconde pour éviter d'écraser un chien qui se promène en liberté. Témoin de la scène, un homme dans la cinquantaine le dévisage d'un regard sévère. Caisse se demande si c'est parce qu'il s'agit de son chien ou simplement parce que les étrangers sont rares sur la réserve.

Roulant doucement, il va se garer à quelques mètres du duo.

— Si c'est pas Loïc Penosway ! lance Caisse tout en refermant la portière.

— Coach ? Qu'est-ce que vous faites à Lac-Simon ? demande Loïc, incrédule.

Il regarde tour à tour son père et Richard Caisse.

— On joue en Abitibi en fin de semaine ! fait Caisse. À soir, après notre entraînement, on va coucher à Rouyn. L'équipe va souper au restaurant, mais moi je mange chez des amis pis je me demandais si je pouvais vous acheter de la bonne viande de chevreuil, comme celle que vous m'avez offerte l'an passé, à Noël.

— Ça se vend pas, de la viande sauvage. Ça se donne, répond Johnny Penosway en souriant. Restez ici, je reviens tout de suite. J'en ai plein le congélateur, ajoute-t-il en s'éloignant.

Il est bientôt rejoint par un autre chien errant qui semble vouloir l'escorter jusque chez lui.

Sans hypocrisie, comme c'est son habitude, Caisse va droit au but et explique à son ancien joueur que son père s'inquiète beaucoup pour lui et qu'il est venu à sa rencontre la veille, après la victoire de l'Océanic contre les Foreurs.

En peu de mots, Loïc corrobore les dires de son paternel. Las de n'être utilisé qu'à l'occasion et de se sentir inutile et parfois même ignoré, il a abandonné le hockey.

— Dans le fond, t'as lâché le hockey parce que ton but de jouer dans la LHJMQ a été atteint, résume grossièrement Caisse à sa façon.

— C'est pas ça du tout. Le nouveau coach se fout complètement de moi. Si au moins j'avais su quoi faire pour m'améliorer et jouer plus souvent! Chaque fois que je lui posais des questions, il me disait toujours qu'il n'avait rien à me reprocher, raconte Loïc, un brin irrité. C'est pas compliqué. J'avais aucun plaisir quand je me rendais à l'aréna. J'avais plus le goût de jouer pour ce gars-là.

— Qu'est-ce que tu ferais si je venais te chercher? Recommencerais-tu à jouer si je réussissais à t'obtenir dans un échange aux fêtes?

— Je sais pas. C'est loin en maudit, Rimouski…

— Je le sais, que ça te tente! insiste Caisse. Voyons… tu peux pas arrêter de jouer au hockey après tout ce que t'as réussi à accomplir l'année passée. T'arrivais du midget CC et t'as fini la saison sur un trio régulier. Si tu recommences à t'entraîner, je te jure que je vais aller te chercher dans une transaction. Idéalement, faudrait même que tu t'entraînes en cachette. Comme ça, je pourrais t'avoir pour des pinottes et j'ai besoin d'un gars comme toi à Rimouski sur ma quatrième ligne. Au pire, si ça marche pas à ton goût, t'auras qu'à revenir ici.

— Je sais pas trop…

Comme Loïc termine sa phrase, son père apparaît au coin du bâtiment. Richard Caisse le regarde s'avancer lentement, surpris de constater que son manteau et sa chemise sont détachés comme s'il était insensible au froid.

— Fais-le pour toi, Loïc, mais aussi pour ton père. Je ne sais pas s'il te le dit souvent, mais il t'aime énormément. Il est fier de toi et il veut surtout pas que tu baisses les bras quand tu te retrouves devant le moindre obstacle.

Quand Johnny Penosway arrive à leur hauteur, il les regarde puis tend un sac en papier brun au visiteur.

— Merci, monsieur, on va se régaler ce soir ! L'Océanic reviendra pas jouer en Abitibi cette saison. Si c'est vrai que votre congélateur déborde de chevreuil, faudrait que vous m'en apportiez à Rimouski après les fêtes quand vous viendrez voir jouer votre fils dans le Bas-du-Fleuve, déclare-t-il en lançant un clin d'œil vers Loïc avant de s'engouffrer dans la camionnette toujours en marche.

Trois heures plus tard, Caisse se retrouve dans le coin de la patinoire du Centre Air Creebec. Les bras croisés, le menton appuyé sur le bout de son bâton, il regarde son adjoint Tommy Desjardins diriger un exercice axé sur les sorties de zone. Les joueurs ont les jambes molles, les passes sont imprécises, l'exécution est mauvaise et il n'y a pas beaucoup d'entrain.

En temps normal, il y a longtemps qu'il aurait piqué une sainte colère. Cette fois, il comprend la situation puisqu'il en est l'artisan. Il désire tout simplement que ses joueurs récupèrent bien afin qu'ils se défoncent le lendemain à Rouyn-Noranda. Il souhaite ardemment battre son ancienne formation à plates coutures, mais jamais il n'aurait osé demander à ses gars de gagner pour lui. C'est contre ses principes fondamentaux de placer ses intérêts devant ceux de l'équipe. Malgré tout, il sait que demain à l'aréna Iamgold, les porte-couleurs de l'Océanic vont se tuer à l'ouvrage… pas pour lui procurer un gain devant son ancien groupe. Ils vont donner tout ce qu'ils ont dans le ventre, car ils voudront le remercier pour la permission spéciale de la veille.

Il règne une ambiance de fête à l'aréna Iamgold et on affiche salle comble pour le retour de Richard Caisse à Rouyn-Noranda. Même si les partisans des Huskies vivent encore une lune de miel avec Russell Toussaint, ils n'ont pas oublié leur ancien entraîneur pour autant.

Au début de la période d'échauffement, debout sur le banc du club visiteur, Caisse ressent une drôle de sensation alors qu'il jette un coup d'œil derrière lui. Au cours des dernières années, il a toujours trouvé très divertissante la brigade d'irréductibles amateurs qui occupe cette section de l'amphithéâtre. Soir après soir, ces hurluberlus aussi vulgaires que bruyants s'amusent à narguer l'adversaire et, au fil des ans, il a vu plusieurs de ses collègues perdre leur calme, au point de parfois même péter les plombs. Lorsqu'il entend ses anciens partisans lui crier des insanités, il se retourne et leur adresse un sourire amical :

— Je pensais bien que vous me donneriez un *break*, crie-t-il en levant les bras au ciel. Au moins pour ma première partie à Rouyn !

— Justement, attends que ça commence, ça va être pire tantôt ! lui répond un jeune partisan en riant puis en feignant de lui vider une bière sur la tête pendant que son voisin lui montre fièrement une affiche qu'il a fabriquée et sur laquelle est inscrit : « Caisse = traître ».

— Gaspille surtout pas ta bière ! Je le sais que vous vous ennuyez de moi ! réplique-t-il sans pouvoir s'empêcher de rire de bon cœur.

Trente minutes plus tard, quand la rondelle tombe au centre de la glace, l'entraîneur-chef de l'Océanic ne rigole plus. Comme c'est toujours le cas sur la route, il lance sa première ligne dans la mêlée et son vis-à-vis lui oppose son trio défensif. Ce soir, on aura donc droit à un face-à-face entre Cédrick Bernier et Félix Riopel… et ce sera le seul véritable duel. Pendant soixante minutes, le petit numéro 57 des Huskies talonne son rival comme une véritable peste, espérant le soustraire de la feuille de pointage. Le traquant comme s'il était son ombre, Félix est plus motivé que jamais. Même s'il n'accepte pas encore son nouveau rôle, il s'agit néanmoins de son plus gros défi de la saison et il n'a pas l'intention de mal paraître face au joueur vedette de Rimouski.

Incapable de rivaliser physiquement, il multiplie les petits coups sournois sans lâcher son adversaire d'un centimètre. Au milieu du premier vingt, Bernier, pourtant habitué d'avoir un couvreur attitré à chaque rencontre, tire sur le chandail de Félix qui se laisse tomber à la renverse. L'arbitre n'y voit que du feu et décerne deux minutes de punition à l'attaquant de l'Océanic. À ce moment, les visiteurs mènent déjà 1 à 0 et l'occasion est belle pour les Huskies de provoquer l'égalité.

— Belle job, Rippy, c'est ça que je veux de toi! crie Toussaint lorsqu'il retraite au banc.

Félix s'assoit sans répondre. « Pas besoin d'avoir un sens inné du hockey ou de posséder des habiletés hors du commun pour pourchasser et harceler un autre joueur. Tout ce que ça demande, c'est un bon coup de patin », songe-t-il, maussade, pendant que son équipe se prépare à déployer son premier jeu de puissance de la soirée.

Assis au banc, il voit le tir de Lukas Denommé être bloqué par Charles-Benoît Giguère, qui déguerpit seul vers le gardien Francis Ouellet. Lorsque l'attaquant de l'Océanic tente une feinte, le gardien des Huskies se compromet en plongeant pour harponner la rondelle. D'un geste agile, Giguère ramène le disque sur son revers et tire dans une ouverture béante. Les visiteurs prennent les devants 2 à 0, au grand dam de Toussaint, qui désire autant que Caisse remporter les honneurs de cette confrontation.

Fort d'une séquence de sept parties avec au moins un point, Bernier prolonge sa série de succès avant la fin du premier tiers quand il capitalise lors d'une supériorité numérique. L'Océanic rentre au vestiaire avec une confortable avance de 3 à 0. En se dirigeant sous les gradins pour se rendre à son bureau, Richard Caisse ne peut s'empêcher de regarder derrière le banc de son équipe. Les bruyants partisans qui s'amusaient à le narguer sont tout à coup très discrets… et ils n'auront guère l'occasion de retrouver leur enthousiasme d'avant-match puisque Rimouski se sauve avec un gain décisif de 8 à 1, infligeant du coup à Rouyn-Noranda sa pire correction de la saison.

Connaissant bien son côté revanchard, la majorité des journalistes croient que l'ancien entraîneur-chef des Huskies se gâtera lors de sa rencontre avec la presse. À la surprise générale, Caisse sort plutôt les violons lorsqu'on le questionne sur ce qu'il a ressenti en se présentant à l'aréna Iamgold avec sa nouvelle formation.

— Sincèrement, j'aimerais vous dire que c'était un match comme les autres, mais ce serait pas vrai. Pendant l'hymne national, j'ai levé la tête vers le plafond et j'ai revu notre banderole des champions de la LHJMQ d'il y a deux ans… À ce moment-là, plusieurs souvenirs sont remontés. Sauf qu'une fois la partie commencée, c'est vite devenu une joute comme les autres et à la fin de la journée, la seule chose qui compte, ce sont les deux points de plus au classement.

— Mais ça doit être gratifiant pour vous de retourner à la maison après avoir démoli les Huskies? demande le reporter de la station de radio Capitale Rock.

— Honnêtement, je suis juste content qu'on ait gagné. En plus, faut pas tellement se fier au pointage. On a profité de toutes les occasions alors que les Huskies ont manqué d'opportunisme. Avec le talent qu'il y a ici, ce club-là va faire mal paraître plusieurs équipes d'ici la fin de l'année. Pas besoin d'être très malin pour voir qu'avec des joueurs doués comme Denommé, Loiselle, Jedlicka, Slavik, Vanelli, Bourbonnière et Archambault, les Huskies sont capables de rivaliser avec n'importe quelle équipe de la ligue.

Le lendemain matin, au petit déjeuner, en lisant le journal, Félix ne se rend même pas jusqu'à la fin de l'article. Pour la deuxième fois en moins d'une semaine, son ancien entraîneur vient de faire la nomenclature des joueurs d'impact des Huskies et, même si les Kings de Los Angeles l'ont repêché, son nom ne figure même pas sur cette liste.

Que Russell Toussaint prétende qu'il n'a pas sa place sur l'un de ses deux premiers trios peut passer, à la limite. Mais que Richard Caisse tienne à peu près le même discours, c'est à n'y rien comprendre…

9

Une transaction dans l'air

À la mi-décembre, l'hiver est déjà bien installé en Abitibi et la neige abondante que l'on retrouve partout sur le territoire en témoigne. À Louiseville comme dans la plupart des autres régions du Québec, on attend toutefois encore la première vraie tempête hivernale. Allongé sur le canapé devant la télé du salon, emmitouflé dans une vieille couverture, Carl Lapierre n'est réveillé que depuis quelques minutes. La fille de la météo annonce qu'une vague de froid fera bientôt déferler les premiers flocons sur la Mauricie. En regardant dehors par la grande fenêtre du salon, il réalise à contrecœur qu'elle ne raconte sûrement pas de sornettes. Ce ciel gris et menaçant n'a rien d'encourageant.

C'est un coup de fil de Félix qui a sorti Carl de son lit alors qu'il était pourtant près de quinze heures. Très tard hier soir, grâce à la magie de la technologie, il a jasé pendant presque une heure avec la belle Cynthia Clermont sur Skype. Celle qu'il fréquente ou qu'il a fréquentée se trouve actuellement à Nha Trang, une charmante ville côtière du Vietnam. À l'image de l'heure à laquelle ils peuvent se parler en raison des déplacements de Cynthia et du décalage horaire, leur relation n'est pas très bien définie. La seule chose que Carl sait avec certitude, c'est qu'il l'aime éperdument. Elle l'aime aussi, ça, il le sait. Seulement, elle ne l'aime pas de la même manière.

À bien y penser, Carl aurait dû rester couché encore un peu, car il n'a absolument aucune raison de se réjouir aujourd'hui. Il pense à son intrigante amoureuse de nouveau partie à la découverte du monde, au coup de fil déprimant qu'il vient de recevoir et à la damnée fille de la météo qui vient de lui donner un coup de marteau sur le crâne avec ses dernières prévisions qui s'exprimaient en centimètres de neige. Pourquoi est-ce si compliqué d'avoir dix-huit ans ? Tout était tellement facile il n'y a pas si longtemps, alors que les premiers flocons étaient synonymes de bonheur… Un bonheur pur qui se traduisait par l'ouverture de la patinoire extérieure, à Louiseville. Des joues rouges, un nez dégoulinant, des pieds gelés et une partie de hockey sur de la glace raboteuse, c'était l'équivalent du nirvana pour Félix et lui.

Maintenant, il déteste l'hiver. En fait, il déteste surtout le froid et le temps des fêtes. La magie a disparu d'un coup à ses seize ans, après le divorce de ses parents et le départ de son meilleur ami pour Rouyn-Noranda. C'est comme si, en quelques mois seulement, sans qu'il s'en rende compte, il était passé d'une vie d'enfant heureux et insouciant à celle d'un adulte tourmenté.

Jusqu'à ce que Félix lui téléphone, Carl avait oublié qu'il haïssait à ce point cette période supposément festive. Alors que son cœur et sa tête seront quelque part au Vietnam, en Malaisie ou au Laos pour une troisième année de suite, il devra essayer de partager son temps entre son père et sa mère. Et, pour une troisième année de suite, il aura comme mission de remonter le moral d'un revenant de passage nommé Félix Riopel.

Invariablement, depuis que son copain a quitté Louiseville, c'est le même genre d'histoire qui se répète quand il revient à la maison pour le congé des fêtes. Étrangement, chaque fois, Félix file un mauvais coton. Il y a deux ans, il se faisait du sang de cochon parce qu'il avait été suspendu par la direction des Huskies. L'an passé, c'est le comité de discipline de la LHJMQ qui avait sévi à son endroit à la suite d'une échauffourée. Cette année, tout indique qu'il va encore broyer du noir, car s'il a pris la peine de lui téléphoner pour lui exprimer ses doléances de vive voix, c'est que le torchon brûle réellement à Rouyn-Noranda.

Personne ne connaît Félix autant que Carl et il sait très bien que, pendant la saison, son ami n'appelle que s'il vit de grandes émotions. La plupart du temps, un simple texto suffit. Tout à l'heure, Félix voulait parler et entendre son meilleur ami. À vrai dire, Carl s'est surtout contenté d'écouter son interlocuteur déblatérer contre Russell Toussaint. À l'entendre, il y a peu d'espoir que sa frustration se dissipe d'ici son arrivée.

Pourtant, Félix serait probablement tout sourire s'il savait ce qui se trame actuellement à son insu, dans le Bas-du-Fleuve. Même si l'Océanic roule à plein régime, Richard Caisse concocte un plan en catimini pour le sortir de Rouyn-Noranda et l'amener avec lui à Rimouski. Guère optimiste de voir Bernier revenir jouer dans la LHJMQ à dix-neuf ans, Caisse avait préféré demeurer sur ses positions avant le début de la saison. Maintenant, il sait qu'il a sous la main presque tous les ingrédients nécessaires pour représenter le Québec pour une deuxième fois en trois ans au tournoi de la Coupe Memorial. Selon son évaluation, il manque encore une dernière pièce au casse-tête: Félix Riopel.

—Je comprends ce que tu me dis, Richard, répète Luc Bellerive, le propriétaire de l'Océanic. Sérieusement, je ne peux pas voir comment tu pourrais aller chercher un fabricant de jeux comme

Riopel sans donner au moins un joueur important de notre noyau. Ton plan est génial, mais à mon avis ça ne marchera jamais !

— Je vais faire un *deal* avec toi, riposte Caisse. Quand ce sera le temps de passer aux actes, tu vas venir t'asseoir ici dans mon bureau et tu vas écouter. Je le connais en maudit, Lafrenière. Tout va se passer exactement comme je te l'ai expliqué. J'en suis certain ! Je suis tellement confiant que je vais l'appeler avec le téléphone haut-parleur pour que tu puisses tout entendre.

— Si jamais t'as raison, je te paye le souper au restaurant de ton choix, répond Bellerive en éclatant de rire. Sais-tu ce que c'est, votre problème, les coachs ? Vous ne comprenez pas qu'au-delà des émotions, les décisions d'affaires se prennent d'abord et avant tout en fonction de raisonnements rationnels. On gère des business… pas des *power trips* de coach.

— Pis sais-tu ce que c'est, votre problème, les propriétaires et les hommes d'affaires en général ? C'est que vous négociez pas assez avec vos tripes et votre instinct. La vie, c'est plus que des chiffres, comme le hockey est beaucoup plus que des X et des O. Faut jamais négliger que ton vis-à-vis risque de réagir de façon émotive. Je te jure que mon plan va marcher avec Lafrenière. S'il pense qu'il a le dernier mot, l'affaire va être conclue très facilement… Tu ferais mieux de réserver le resto tout de suite !

Une semaine plus tard… ou deux défaites plus tard pour les Huskies, le téléphone sonne chez Dany Lafrenière. À quatre jours du début de la période des transactions, le directeur général ne sait plus à quel saint se vouer. Après un début de saison plus qu'intéressant, son club bat de l'aile depuis environ un mois. Sans s'attendre à rivaliser avec les puissances du circuit dès cette année, il pensait que son équipe pourrait garder le même rythme de croisière qu'en septembre et en octobre. Il est temps de décider s'il veut faire des acquisitions pour améliorer le club tout de suite ou jouer de patience et chercher à le rendre meilleur l'an prochain.

— Je sais même pas encore si je suis vendeur ou acheteur, avoue Lafrenière à Richard Caisse qui le questionne sur ses intentions à l'autre bout du fil.

— Tu sais très bien, Dany, que t'as aucune chance d'aller jusqu'au bout cette année. Ton noyau de joueurs d'impact est encore trop jeune, plaide Richard Caisse pour le convaincre.

— Je t'entends mal, Rick. Ferme ton mains libres, la ligne va être meilleure, suggère Lafrenière.

— Impossible, je prends des notes en te parlant, répond Caisse en se tournant vers Luc Bellerive qui écoute en retrait tout en se retenant pour ne pas faire de bruit en riant. *Anyway*, t'as très bien compris mon offre. Je veux le gros Loiselle et je suis prêt à payer cher, mon Dan. L'offre sera pas sur la table jusqu'à la fin des temps. Si ça marche pas avec toi, j'irai magasiner ailleurs, même si c'est lui, et lui seul, que je veux.

— Me niaises-tu?

— Crois-tu que j'ai juste ça à faire, cibole? Je te le répète pour la troisième fois: pour Loiselle, je suis prêt à te donner notre premier choix de l'an prochain, notre choix de deuxième ronde dans deux ans, en plus de Gregory Bouvrette et Chipper Matterson. Penses-tu que j'offrirais ça à tous les clubs de la ligue? Je te mets le maximum sur la table parce que j'ai besoin du gros Loiselle. En même temps, je connais vos besoins à Rouyn-Noranda. J'y vais *all in*, pas de niaisage pis d'histoires qu'on va se téléphoner sept ou huit fois en bluffant, chacun de notre bord. Je te donne la chance en premier. Si j'ai pas eu de tes nouvelles dans vingt-quatre heures, je vais contacter les seize autres clubs.

Quand il raccroche, Dany Lafrenière gonfle les joues et laisse lentement sortir l'air de sa bouche. Chaviré par cet appel imprévu, il joint les mains derrière son crâne et se laisse tomber dans son gros fauteuil en cuir. L'offre de Caisse est plutôt alléchante. Toutefois, il est totalement hors de question qu'il se départisse de Loiselle. Perdu dans ses pensées, le directeur général des Huskies saisit une feuille blanche et y jette quelques noms. Pour lui, c'est le début de la période la plus enivrante de l'année.

Lafrenière étudie l'offre de son vis-à-vis sous toutes ses coutures. Son club serait indéniablement meilleur la saison prochaine avec des joueurs prometteurs comme Bouvrette et Matterson, mais le prix à payer est beaucoup trop élevé. Comme un enfant qui écrit au père Noël, il commence par dresser une liste de souhaits. Qui, dans la LHJMQ, ferait son bonheur en retour d'un joueur de la trempe de Loiselle ? Pour les deux jeunes espoirs de l'Océanic et des choix au repêchage, qui serait-il prêt à laisser partir ? Y a-t-il moyen de conclure un pacte impliquant une troisième formation ? Toutes ses réflexions aboutissent invariablement dans un cul-de-sac.

À peine une heure plus tard, le patron des Huskies contacte Caisse en espérant faire bouger les choses.

— Écoute, Rick, ça me sert à rien de réfléchir à ton offre plus longtemps, lui lance Lafrenière d'entrée de jeu. Ça pourra pas marcher. Pour avoir Loiselle, faudrait que t'ôtes un des deux gars et que tu le remplaces par Charles-Benoît Giguère.

— Es-tu en train de dépenser tes minutes d'interurbains pour me dire des niaiseries ? rétorque Caisse avant d'éclater de rire. Le petit Giguère a seize ans et il va jouer dans la ligue encore quatre ans.

Sérieusement, Dany, ma proposition est très bonne. Pour Loiselle, tu ramasserais deux *kids* de dix-sept ans et de bons choix au repêchage. Tu sais que je suis très généreux, en plus.

— C'est clair que t'as mis un bon *package* sur la table. Ton offre est pas mauvaise... Mais c'est quand même pas assez pour Loiselle, tranche fermement Lafrenière.

— Qu'est-ce que tu me donnerais pour avoir Matterson et Bouvrette? demande le directeur général de l'Océanic.

— J'ai pas besoin d'eux autres, répond Lafrenière.

— Tu viens juste de me dire que tu trouvais mon *package* intéressant... T'as peut-être pas besoin d'eux cette année, mais ils pourraient drôlement améliorer ton club l'an prochain. Moi, je suis prêt à les échanger contre un élément qui va m'aider à gagner tout de suite. Je prendrais volontiers un des deux Tchèques, mais j'ai déjà mes joueurs européens.

— En plus, oublie pas qu'ils exigent de jouer dans la même équipe.

— Ah oui, c'est vrai, j'oubliais ça. Finalement, y a personne à Rouyn qui convient pour un échange. C'est certain que j'aime beaucoup Denommé, mais si tu veux pas pour Loiselle, tu voudras encore moins pour le *kid*.

— Pis Riopel? lance Lafrenière après un silence de quelques secondes.

— On parle sérieusement, là, Dany. Je sais pas pourquoi, mais Riopel a beaucoup ralenti. Peut-être que la tête lui a enflé depuis qu'il a été repêché. Peu importe, je cherche pas un centre défensif.

— Un instant… tu sais très bien qu'il pourrait t'aider à l'attaque. Riopel, c'est pas un centre défensif, proteste le patron des Huskies.

— Au centre, j'ai déjà Bernier qui joue un minimum de vingt minutes à chaque partie. À Rimouski, Riopel remplirait le même genre de rôle que chez vous. Je veux ben croire qu'il a le cœur gros comme l'Abitibi, mais la réalité est qu'il fait même plus partie de votre noyau offensif, rétorque Caisse. Donne-moi trente secondes, je te reviens tout de suite. J'ai quelque chose à vérifier…

Caisse dépose son téléphone sur le bureau puis il sort de la pièce. Il passe devant la salle à manger et salue amicalement de la main quatre joueurs qui discutent autour de la table tandis qu'un autre est occupé à faire chauffer un bagel. Il jette ensuite un coup d'œil rapide du côté de la salle de musculation où il n'y a personne en ce moment. Satisfait d'avoir fait patienter son interlocuteur, le directeur général et entraîneur-chef de l'Océanic revient dans son petit local.

— Écoute, Dany, on l'a vécu ensemble il y a deux ans, un club a jamais assez de profondeur quand vient le temps de se rendre jusqu'à la Coupe Memorial. De mon bord, je suis prêt à sacrifier une bonne partie de notre avenir pour essayer de réussir à gagner ce trophée-là. Si t'es sérieux quand tu dis que Riopel est sur le marché, je te donne Bouvrette ou Matterson, plus un choix de deuxième ronde cette année.

— C'est pas assez pour Riopel, se contente de répondre Lafrenière en soupirant.

— On voit sûrement pas les mêmes *games*. Tu me donnes un gars de troisième trio de dix-huit ans. Moi, je t'offre un gars de troisième trio de dix-sept ans plus un très bon choix au repêchage. Riopel a un statut parce qu'il a été repêché, c'est tout. Dans le fond, je devrais même pas sacrifier un seul choix au repêchage pour cet échange-là. Je change mon offre. C'est du un contre un… Riopel contre un de mes *kids*.

— Arrête de divaguer, Rick ! Qui est-ce qui a fini meilleur marqueur l'an passé à Rouyn-Noranda ? demande sèchement Lafrenière.

— *Come on*, insiste Caisse. Steve Yzerman a fini meilleur marqueur des Red Wings pendant dix ans pis tu le prendrais pas dans ton club aujourd'hui. Le contexte a changé depuis l'an passé. Penses-y, vous êtes quoi, dixièmes au classement général ? interroge-t-il sans attendre une réponse. Ça fait un mois que vous utilisez Riopel sur la troisième ligne. Imagines-tu qu'il aurait un plus grand rôle à Rimouski avec un club qui se bat pour la première place de la ligue ?

— Ça, c'est pas mon problème. Tu le veux ou tu le veux pas ?

— Je le veux contre un de mes deux *kids*.

— Oublie ça, Rick. Y a une heure t'avais mis une belle offre sur la table, un beau *package* de deux joueurs plus des choix au repêchage, pis là t'es rendu à un seul joueur. C'est pas grave. Tu me téléphoneras si jamais tu changes d'idée.

Quand il raccroche, Richard Caisse regarde l'heure puis sourit. Dans deux jours, il reviendra à la charge avec une nouvelle offre. D'ici là, comme on laisse une belle pièce de viande mariner dans la sauce pour qu'elle prenne du goût, il va laisser languir son homologue pour qu'il pense en détail à ce qu'il vient de lui dire au téléphone… Oui, dans quarante-huit heures, il lui soumettra une nouvelle offre.

— Écoute, je me mêle pas souvent de ta job, mais faudrait que tu fasses jouer Riopel sur la première ligne, lance Lafrenière en faisant irruption dans le bureau de Russell Toussaint avant l'entraînement des Huskies. J'ai reçu des offres pour lui, mais j'en aurais des meilleures s'il jouait au centre du premier trio, comme il devrait.

— Qu'est-ce que tu veux dire par "comme il devrait" ? réplique l'entraîneur-chef.

— Ce gars-là a fini meilleur marqueur du club l'an passé. Il a été repêché par Los Angeles pis depuis un mois il joue sur la troisième ligne… On s'entend-tu que c'est pas normal ?

— Ce qui est pas normal, c'est que tu viennes me challenger avec ça… Surtout quand ça fait déjà un mois que Riopel joue sur la troisième ligne.

— *Let's go*, Russ, faut que tu regardes la situation dans son ensemble. Quand le téléphone sonne, c'est toujours pour Denommé ou Loiselle. Y a aussi des directeurs généraux qui sont intéressés par Riopel… Pourquoi ils s'intéressent à Riopel ? Parce que sa valeur marchande n'a jamais été aussi basse, et ça, c'est ta faute, explique Lafrenière sans prendre de détours.

— Je l'aime pas, moi, Riopel ! Autant le joueur de hockey que l'individu. Sa petite attitude d'enfant-roi, je suis pas capable… avoue franchement l'entraîneur-chef. Si t'es en mesure d'avoir quelque chose de bon pour moi en échange, je serais très heureux.

— C'est pas ton *one man show* ici, Russ. On en a déjà parlé avant que je t'engage, affirme Lafrenière avec autorité.

— T'as juste à le garder, d'abord. Est-ce qu'on gagne avec Riopel sur la troisième ligne ? Oui, on gagne. Je te dis pas de le donner pour me faire plaisir, mais je te dis que si on te fait une offre raisonnable, moi, c'est pas mon préféré.

— Vous êtes tous pareils, les coachs, maugrée Lafrenière en se dirigeant vers la porte. Quand vous tombez en amour avec un joueur, c'est la plus belle invention du monde depuis le bouton à quatre trous, pis quand vous en prenez un en aversion, c'est comme s'il avait le scorbut.

— Le scorbut? répète Pascal Milette assis dans le coin du bureau.

— Ben, pas le scorbut… la malaria, mettons. La lèpre, si tu préfères… ou la gale, si t'aimes mieux. Ah pis, on s'en crisse! lance-t-il avant de tourner les talons et de claquer la porte.

L'adjoint et l'entraîneur-chef se regardent, attendent quelques secondes et éclatent de rire. Sur le fond, leur patron avait peut-être raison, sauf qu'il vient de rater royalement sa sortie.

10

Félix change d'adresse

Cette année, les activités de la LHJMQ feront relâche du 21 au 28 décembre, ce qui signifie que dans une semaine, tout le monde va rentrer à la maison pour le congé des fêtes. Un peu partout à travers les villes du circuit, différentes rumeurs de transactions circulent comme c'est la coutume à cette période de l'année. Richard Caisse n'a soufflé mot de ses discussions à personne, pourtant le nom de Félix Riopel est mentionné dans certaines villes de la ligue. C'est la première fois de sa carrière que l'attaquant de dix-huit ans se trouve impliqué au cœur de ce genre de conversations et chaque fois que son téléphone sonne, qu'il reçoit un courriel ou un message texte, il se dépêche de vérifier de quoi il s'agit. Depuis quelques jours, dès qu'il profite d'une minute libre chez les Casault, il parcourt tous les sites Internet qui parlent de hockey junior. S'il se réveille la nuit, il empoigne son cellulaire avant de sortir des couvertures puis regarde systématiquement tous les messages qu'il a reçus. La rumeur la plus sérieuse semble l'envoyer du côté des Olympiques de l'Outaouais.

Comme il ne va plus à l'école, Carl profite amplement de son temps libre pour scruter à la loupe tous les ragots et les potins associés à la LHJMQ. Sur le Web, c'est extrêmement difficile de deviner qui dit vrai et qui raconte n'importe quoi. Quand il déniche une histoire concernant Félix, Carl essaie systématiquement de trouver une deuxième source d'information qui corrobore les faits. Une fois qu'il a bien vérifié, il avise son meilleur ami des dernières nouvelles à son sujet.

Or, même s'il ne file pas le parfait bonheur actuellement avec son entraîneur, Félix ne souhaite guère quitter les Huskies. Il se sent véritablement chez lui en Abitibi. Les Casault sont devenus sa deuxième famille et malgré ses prises de bec répétées avec Loiselle, il adore cette vie de meute parmi ses coéquipiers actuels. Si son père était là, il lui répéterait certainement d'arrêter de se faire du mauvais sang et de se concentrer sur les choses qu'il contrôle, un adage beaucoup plus facile à dire qu'à appliquer concrètement dans sa propre existence!

Je commence à capoter avec les rumeurs d'échange.

Inquiète-toi pas de ça. Des niaiseries...des inventions des journalistes. J'ai parlé en personne à Lafrenière y a 2 jours. Il t'adore. Aucunement question que tu partes de RN.

Le dernier vendredi avant de retourner à la maison pour les vacances de Noël, les Huskies partent en matinée pour Gatineau où ils affronteront les Olympiques le soir même. Le lendemain, ils mettront le cap vers Victoriaville.

Comme une rumeur persistante l'envoie avec la formation de l'Outaouais, Félix ressent le curieux sentiment de se préparer pour une audition lorsqu'il entre dans le Centre Robert-Guertin. Comme c'est son habitude avant les parties, il ne demeure pas dans le vestiaire avec les autres. Après avoir enfilé ses survêtements et un vieux coton ouaté noir, il saisit son iPod et enfonce sa tuque par-dessus sa tignasse ondulée. Il choisit trois bâtons, une roulette de ruban blanc et va s'asseoir tout seul dans un coin de l'aréna pour écouter de la musique en préparant minutieusement ses armes. C'est l'incontournable routine qu'il a amorcée à la fin de la saison dernière. Seul le choix musical varie.

Chacun a sa façon de se préparer. Habituellement, personne ne vient perturber le rituel des autres. Son compagnon de trio, la recrue Liam-Tomas Joyal, s'amène toutefois en catimini. Félix, qui le voit s'approcher, retire ses écouteurs. C'est comme un code qui signifie qu'il l'autorise à venir déranger sa préparation.

— Je ne joue pas ce soir, lance Joyal en soupirant.

— Ouin, je sais. Ils ont monté un *kid* du midget AAA. Penses-tu que c'est parce qu'ils vont t'échanger ? interroge Félix, comme si son coéquipier avait des chances de connaître la réponse.

— Non. C'est pas ça le plan, paraît. Sais-tu ce que Dany Lafrenière vient de me dire au téléphone ?

— Aucune idée, Liam. Y a plus personne qui me dit rien dans ce club-là.

— Il vient de m'appeler pour me demander de ne pas me décourager si je suis dans les estrades à soir. Il voulait me dire qu'y faut pas que je m'inquiète si Sammy Fraser joue à ma place.

— J'espère… On sait même pas c'est qui, Fraser. Il n'est même pas venu au camp d'entraînement, interrompt Félix.

— C'est ça l'affaire ! C'est pour ça qu'il voulait me parler. Lafrenière m'a dit de ne pas me décourager si Fraser prend ma place à soir. Le gars joue pour les Lions du Lac-Saint-Louis et il n'est pas venu au camp d'entraînement pour ne pas perdre son admissibilité dans les collèges américains. Il veut aller étudier aux États-Unis mais les Huskies l'ont sélectionné quand même l'année passée. Lafrenière m'a dit qu'il tentait de le convaincre de changer d'idée depuis la journée du repêchage.

— Pis là, il vient de changer d'idée! C'est pas le premier à faire ça, le coupe de nouveau Félix qui semble avoir envie de replonger dans sa bulle.

— Attends un peu, c'est pas ça le punch. Effectivement, Lafrenière m'a expliqué qu'il a fini par le convaincre. Sauf que d'après lui, Fraser pourra jamais devenir meilleur qu'un bon joueur de troisième trio. Il dit qu'il lui a promis qu'il finirait l'année avec les Huskies mais qu'en fait, c'est pas vrai. Il va jouer ce soir et après la *game*, il va retourner avec le midget, au Lac-Saint-Louis. Comme ça, il ne sera plus admissible au programme de la NCAA et Lafrenière va avoir un gars à portée de la main, pour venir dépanner quand il va être mal pris.

— Ça, c'est ta déduction? Qu'est-ce que Lafrenière t'as raconté exactement? demande Félix.

— Il m'a raconté tout ça, mot pour mot, je le jure, se défend Joyal. Il a ajouté que les maudits Anglais du West Island, ils passent leur temps à menacer d'aller jouer aux États-Unis, et que Fraser, lui, y va être pogné pour jouer dans la LHJMQ et ça va nous permettre d'avoir plus de profondeur dans l'organisation. Pis il a fini en me disant qu'il avait voulu m'expliquer tout ça pour pas que je pense que Fraser était en avant de moi dans la hiérarchie du club. Il avait peur que ça me décourage de le voir arriver et jouer à ma place. Faut-tu être croche à ton goût pour manigancer des affaires comme ça?

— J'aimerais ça te dire que je suis surpris mais ça serait pas vrai, réplique Félix en hochant la tête. Oublie pas qu'au début du camp, l'an passé, Lafrenière avait confirmé Zachary Leduc dans le club et il a quand même été retranché. Ce gars-là raconte n'importe quoi et tout le monde le sait. En plus, ça te prouve-tu à quel point il est stupide de te raconter ça? Faut être méchant pour faire ça à Fraser ou à n'importe qui, mais faut surtout être vraiment imbécile pour téléphoner à un de ses joueurs et parler de tout ça en détail. Au moins, si tu le fais, ferme ta gueule.

— Et là, on fait quoi avec ça?

— On fait rien. Y a rien à faire, à part attendre et voir ce qui va arriver.

Ce n'est pas la première fois que Félix se fait raconter une histoire épouvantable au sujet de son directeur général et cette anecdote vient s'ajouter à la liste des incidents plutôt troublants à Rouyn-Noranda. En empoignant son dernier bâton pour en enrubanner le manche, il en vient à la conclusion que Lafrenière a même probablement menti à Christian Champagne quand il lui a mentionné de ne pas s'énerver à propos des rumeurs de transaction à son sujet. Si jamais les Huskies l'échangent à une autre équipe, il se fera un malin plaisir de laver son linge sale sur la place publique.

Quelques heures plus tard, Félix constate à regret que son jeune coéquipier n'a pas menti. Après le match face aux Olympiques, Fraser ne monte pas dans l'autobus avec le reste du groupe mais rentre plutôt à la maison avec son père et sa mère.

FÉLIX à Christian Champagne, Carl, Line et Véronique

W 5-2. 1 but + 1 passe. Ça fait du bien.

Pendant que Félix et ses coéquipiers rentrent à l'hôtel, Dany Lafrenière répond au téléphone. Assis chez lui dans son bureau, il pense que c'est Russell Toussaint qui l'appelle pour lui résumer le match. C'est plutôt le nom de Richard Caisse qui apparaît sur l'afficheur. Après les politesses d'usage, son ancien partenaire plonge dans le vif du sujet :

— Paraît que vous en avez joué une bonne tantôt à Gatineau. J'avais un dépisteur au match, il m'a dit que vous aviez mangé les Olympiques et que ça aurait facilement pu finir 7 ou 8 à 2.

— J'ai pas encore parlé à Toussaint. D'ailleurs, je pensais que c'était lui qui me téléphonait.

— As-tu changé d'idée pour Loiselle ? Je suis vraiment intéressé, Dany, demande Caisse, sans plus de préambule.

— Loiselle ne partira jamais de Rouyn, mets-toi ça dans la tête, mon Richard.

— Et est-ce que ton offre tient toujours pour Riopel ?

— J'ai jamais fait d'offre, riposte prestement Lafrenière. Tu m'as contacté pour Loiselle en me proposant des joueurs et des choix. Moi, je ne t'ai rien demandé pour Riopel, son nom est arrivé plus tard dans la conversation.

— OK, t'as raison, c'est vrai. On avait parlé des jeunes Bouvrette ou Matterson. Penses-tu qu'y a moyen de travailler un *deal* autour de ça ? Je te ferai pas de cachette, on vient d'en perdre deux collées, et là, j'ai le propriétaire sur mon dos, explique Caisse en souriant à Luc Bellerive, assis tout juste à côté de lui dans son bureau, une bière froide à la main. Le bonhomme capote. Il faut absolument que je fasse un *trade* pour le calmer un peu.

— Dis-lui de prendre des pilules pour les nerfs ! C'est quoi, son problème ? Vous êtes au deuxième rang dans la ligue.

— Il nous imagine à la Coupe Memorial et là, on vient de perdre deux parties de suite pour la première fois de l'année. Faut que je fasse un *move* et le plus tôt sera le mieux.

— J'veux bien croire que tu veux faire un échange, mais Bouvrette ou Matterson, c'est pas assez pour un joueur comme Riopel. Si t'as le goût de jaser sérieusement, je veux t'aider, Rick. Sinon, fais-moi pas perdre mon temps, précise Lafrenière d'un ton autoritaire.

— Je ne t'appelle pas pour te demander la charité, Dany, riposte Caisse. Tu voudrais quoi pour Riopel ?

— Pour Riopel… Faudrait que tu me donnes tes deux *kids*, réplique le directeur général des Huskies après un moment de réflexion. Aussi, il faudrait que t'ajoutes ton choix de deuxième ronde au prochain repêchage.

— Tu trouves pas que t'exagères un peu ?

— Non, pas une seconde. C'est pas moi qui est mal pris, Rick. J'ai pas besoin d'échanger Riopel. En plus, avec les Championnats du monde junior, Bernier ne sera pas à Rimouski avant un bon bout de temps, donc tu vas en avoir vraiment besoin pour le prochain mois pendant qu'il sera avec Team Canada.

— Tu me fais suer, Dany. Tu le sais que j'ai pas le choix, pis t'en profites, répond Caisse en servant un clin d'œil à son propriétaire. J'pensais que tu me donnerais un petit coup de main vu qu'on est chums.

— T'es nouveau comme directeur général mais tu vas voir que l'amitié ne compte plus du tout quand vient le temps de parler business. T'es trop émotif pour occuper cette job-là, Rick. C'est une qualité pour un entraîneur mais c'est un gros défaut quand t'es DG. En plus, je le sais que t'as toujours trippé sur Riopel!

— T'as raison. Et en ce moment, tu me tiens par les couilles. Je serais prêt à te donner Matterson et Bouvrette mais pas un choix de deuxième tour. Je te donnerais mon choix de troisième ronde pour la saison prochaine. On va finir loin au classement et ça va être presque aussi bon que notre choix de deuxième ronde de cette année.

— C'est fait.

— Attends un peu, répond Caisse, brandissant son poing droit fermé avec le pouce dans les airs en direction de son propriétaire. Le bonhomme sera pas content de cet échange-là parce que j'arrête pas de lui dire que ça prend de la profondeur pour se rendre jusqu'au bout… Ça, c'est une autre erreur de recrue. Je te donne deux joueurs et j'en reçois un seul, c'est certain qu'il va me mettre ça sur le nez. Comme t'es déjà gagnant dans ce *trade*-là, peux-tu me mettre un autre joueur dans le *deal*? N'importe qui.

— Non, rétorque prestement son homologue. J'ai aucun joueur à balancer pour le fun.

— Ouin… Pis l'Indien? Vous l'habillez même pas…

— Penosway! T'es en retard dans les nouvelles, rigole Lafrenière. Ça fait un mois qu'il ne joue plus au hockey. Il est retourné chez lui, dans la réserve.

— J'm'en fous. Mets son nom dans la transaction et on a un *deal*. Le bonhomme Bellerive est pas au courant de ça et je lui dirai que Penosway a refusé de se rapporter à Rimouski. Ça va me permettre de sauver la face.

— Si c'est juste ça qui fait ton bonheur, y a pas de trouble ! Je faxe les papiers à la ligue en raccrochant, puis je téléphone à Riopel pour l'avertir. Je vais lui dire de te contacter après, précise Lafrenière.

— Parfait. Je vais faire la même chose de mon côté… Et n'oublie pas que tu m'en dois une. J'ai plié à tes demandes parce que j'étais dans le trouble et j'espère que l'ascenseur va revenir un jour.

— Dans le trouble en deuxième place ? T'espères quand même pas que je vais te prendre en pitié, Rick ! se contente de répondre Lafrenière sur un ton sec avant de terminer l'appel.

— Tu peux déjà réserver notre hôtel à Québec pour le mois de mai, lance Richard Caisse après avoir racroché le téléphone en souriant de satisfaction. Si on n'a pas de blessés, on vient d'aller chercher notre billet pour la Coupe Memorial, poursuit-il en se levant pour aller chercher une bière afin de trinquer avec le propriétaire de l'Océanic. Riopel, c'est de la dynamite sur patins ! Ce *kid*-là va se tuer à l'ouvrage pour nous autres. Mes espions à Rouyn-Noranda comprennent pas ce qui cloche cette année, mais moi, je sais que je vais le faire marcher. Et en bonus, on ramasse le gros Loïc Penosway, un autre joueur travaillant.

Assis dans le lobby de l'hôtel, Félix est perdu dans ses pensées. Décontenancé par ce qu'il vient de vivre au cours des dernières heures, il revoit le fil des événements et essaie de mettre de l'ordre dans ses idées en attendant l'arrivée de Carl. Que les Huskies décident de l'échanger, c'est une chose. Qu'ils l'abandonnent à Gatineau, c'est inacceptable. Après deux ans et demi à se défoncer soir après soir pour cette équipe, Toussaint et Lafrenière auraient au moins pu avoir la délicatesse de lui faciliter la vie afin qu'il retourne chercher sa voiture et ses affaires personnelles chez les Casault, à Rouyn-Noranda. On ne lui a rien offert, même pas un billet d'autobus. De toute façon, ça n'aurait rien changé, car à cette période-ci de l'année, il n'y a qu'un seul départ pour Rouyn-Noranda et l'autocar de 8 h 45 est déjà plein.

—Au lieu de te plaindre, dis-toi que t'as été chanceux que l'échange arrive pas pendant qu'on était dans les Maritimes! s'est contenté de lui répondre son ancien entraîneur, sans aucune considération, lorsque l'autobus des Huskies a pris la direction des Bois-Francs, après le déjeuner. Si ça avait été notre dernière *game* du voyage, on t'aurait ramené en Abitibi, mais on ne peut pas te traîner avec nous à Victo. Loue-toi un char, c'est le meilleur moyen de retourner à Rouyn.

Félix, qui n'a pourtant pas la langue dans sa poche habituellement, a préféré ne rien répondre. Tout a déboulé si rapidement. Hier soir, il venait d'entrer dans sa chambre lorsque Toussaint a téléphoné pour le voir. Quand il s'est retrouvé devant lui, son entraîneur lui a annoncé la nouvelle sans aucune compassion :

— Lafrenière vient de m'appeler. T'es échangé à Rimouski. Merci pour ce que t'as donné aux Huskies. Richard Caisse va t'appeler dans pas long pour t'expliquer la suite des choses.

Toussaint s'est levé, lui a donné la main par principe, sans même lui souhaiter bonne chance. Félix s'est retenu pour ne pas pleurer. Incapable de répondre quoi que ce soit, il a quitté la pièce sans refermer la porte derrière lui.

— Ah, pis… Commence pas à faire le tour des chambres pour dire au revoir aux *boys*. On a une *game*, nous autres, demain. Tu feras tes adieux au déjeuner, avant qu'on décolle pour Victo, est venu ajouter Toussaint en sortant la tête de son bureau.

Une fois dans sa chambre, Félix s'est réfugié dans la salle de bain. Il ne voulait pas que Ouellet le voie les yeux pleins d'eau. Occupé à jouer à *Call of Duty* sur sa console de jeux, l'autre a à peine remarqué le retour de son cochambreur. Dix minutes plus tard, quand il est revenu dans la pièce, Félix avait eu le temps de digérer la nouvelle.

> **FélixRiopel** @Rippy57
>
> Fini les rumeurs. Échangé à Rimouski.

— Ouellet! Tu regarderas ce que je viens de twitter. J'ai été "tradé" à Rimouski.

C'est tout ce qu'il a eu le temps de dire à son gardien de but. Son cellulaire s'est mis à vibrer dans sa poche. C'était Richard Caisse.

— Je vais aller parler dans le portique. Inquiète-toi pas pour moi, *dude*, on jasera demain matin. J't'aime!

— Rippy… As-tu dit "j't'aime"? a questionné Ouellet, autant hébété par cette annonce que par le « j't'aime » de son coéquipier.

Sans se soucier d'être sur le point de se faire assassiner, il a déposé sa manette pour se dépêcher d'aviser rapidement tous les autres joueurs de l'équipe par message texte.

Félix n'a pas réussi à fermer l'œil de la nuit. La discussion avec Richard Caisse a été plutôt brève mais assez chaleureuse pour lui remonter énormément le moral.

— Vraiment content de cette transaction-là, Félix, n'a pas caché le patron de l'Océanic. Je ne te mentirai pas, t'es le joueur que je visais depuis le début de la saison. On a manqué la Coupe Memorial de peu y a deux ans. Cette année, on ratera pas notre coup !

— Pour être franc, je ne m'attendais vraiment pas à me ramasser à Rimouski, avoue Félix.

— Pour être franc, je ne m'attendais vraiment pas à payer si peu pour aller te chercher ! On va se reparler demain dans la journée. Planifie tes vacances de Noël en ayant en tête qu'on joue le 28 à Québec et en attendant, décompresse parce que tu vas voir que tu vas jouer pas mal plus souvent à Rimouski. Viens rejoindre le club au Colisée pour l'entraînement du 28 au matin. As-tu encore mon numéro de cellulaire ?

— Oui, coach ! répond Félix avec enthousiasme. Est-ce que je peux poser une question niaiseuse ? risque l'attaquant.

— Vas-y… Ça sera pas la première fois !

— Est-ce que le 57 est libre à Rimouski ? demande-t-il, en se disant que son entraîneur n'a pas du tout changé.

— Mon gérant est déjà au courant que c'est ton numéro. Lui aussi va te téléphoner demain midi pour avoir tes mesures pour l'équipement et vérifier avec toi le modèle des bâtons qu'il va devoir te commander. Apportes-en trois ou quatre quand même au cas où on ne les aurait pas à temps pour ta première partie.

FélixRiopel @Rippy57

Merci aux gens de Rouyn et à mes formidables coéquipiers des Huskies. Prêt pour un nouveau défi. #57... ça va être beau sur un chandail des Nics !

Après avoir terminé l'appel, Félix a téléphoné à sa mère. Il savait parfaitement qu'il la réveillerait, mais il ne pouvait guère prendre le risque qu'elle apprenne la nouvelle aux infos du matin. Ensuite, il est demeuré assis dans le lobby de l'hôtel jusqu'à deux heures. Se contentant de remerciements polis envers les Huskies et leurs fans, il a confirmé la nouvelle de l'échange sur sa page Facebook.

Tous les gars de l'équipe l'ont texté pour lui souhaiter bonne chance, même le gros Loiselle. Certains joueurs de l'Océanic l'ont aussi joint. Le capitaine Cédrick Bernier, qui se trouve actuellement à Karlstad en Suède avec l'équipe canadienne qui prendra bientôt part au Championnat du monde junior, lui a souhaité la bienvenue via Twitter. Malgré l'heure tardive, Félix a aussi parlé avec son agent et il a fini par joindre Carl vers deux heures du matin. Sans qu'il lui demande quoi que ce soit, son meilleur ami s'est offert pour aller avec lui en Abitibi.

Carl devait le prendre vers dix heures à l'hôtel... C'était il y a une demi-heure. Selon ses habitudes, il n'est pas encore officiellement en retard! C'est difficile, voire impossible de se fâcher contre lui, alors Félix prend son mal en patience en se disant qu'il va se pointer d'une minute à l'autre.

Pour passer le temps, il furète sur Twitter afin de voir ce qui se dit au sujet de cette transaction. Selon les nombreux messages que l'on retrouve sur #Rippy57, les partisans de l'Océanic sont emballés, alors que ceux des Huskies sont carrément divisés. Tandis qu'il navigue allègrement d'une page à l'autre, le visage de Loïc Penosway apparaît brusquement sur son portable qui se met aussitôt à vibrer.

— Penosway! Comment ça va, mon chum? demande Félix avec énergie.

— J'pense que ça va bien. J'pense aussi que je vais recommencer à jouer au hockey, répond calmement l'attaquant algonquin. Quand j'ai lâché les Huskies, Caisse m'a dit qu'il viendrait me chercher aux fêtes, mais j'avais jamais imaginé que toi aussi, tu te ramasserais à Rimouski. Qu'est-ce qui s'est passé pour que Lafrenière t'échange?

— Aucune idée. Y avait des rumeurs mais je sais pas d'où c'est parti, ces histoires-là à mon sujet. Lafrenière m'a même pas appelé. Il m'a juste texté à matin pour me dire bonne chance et merci. C'est Toussaint qui m'a annoncé la nouvelle hier soir après le match. Mais explique-moi une affaire, tu as dit que Caisse t'avait dit qu'il irait te chercher… Comment ça?

— Il est venu me voir sur la réserve quand l'Océanic a joué en Abitibi. J'ai rien demandé. C'est lui qui m'a dit ça. Il m'a dit que je ne devrais pas lâcher le hockey, pis qu'il s'arrangerait pour venir me chercher dans un échange. Je pensais qu'il disait ça juste pour m'encourager, parce que mon père était allé le voir pour lui confier qu'il s'inquiétait de me voir abandonner les Huskies.

— Ayoye… C'est *hot*, ça. Pis, qu'est-ce que tu vas faire, là? demande Félix.

— J'arrive du gym et je suis en forme comme jamais. Le 27, je vais descendre à Québec avec mon père, on va coucher chez son cousin et le lendemain, je vais rejoindre le club pour la pratique du matin, répond Penosway sur un ton toujours aussi flegmatique.

— Méchante bonne nouvelle, ça! Là, je suis à Gatineau et j'attends un de mes chums pour retourner avec lui en voiture à Rouyn-Noranda. Je pense que c'est lui qui vient d'arriver dans le stationnement de l'hôtel. Je dois raccrocher mais j'ai hâte de te revoir, Big!

Comme le gérant de l'équipement a refusé de lui laisser le sac de cuir des Huskies, Félix empoigne à la hâte les deux sacs à poubelle qui contiennent son équipement, sa valise de vêtements et le seul bâton qu'il a pu conserver. Non seulement il n'en peut plus de perdre son temps dans le lobby, mais il est aussi emballé à l'idée de revoir son meilleur ami pour la première fois depuis plusieurs semaines. Comme il tente maladroitement de tenir la porte entrouverte avec son pied droit pendant qu'il trimbale ses affaires, Carl arrive en courant pour lui prêter main-forte. En le voyant, Félix laisse tout tomber pour servir une chaleureuse accolade à son meilleur ami.

— Excuse-moi, *man*, je suis en retard parce que j'ai fait le ménage de mon auto avant de partir pour que tout soit propre pour toi ! lance Carl en prenant un sac.

— Wow ! Je devrais me faire échanger plus souvent, blague Félix. Es-tu certain qu'on va se rendre à Rouyn avec ça ? demande-t-il en arrivant près de l'auto dont le moteur tourne toujours.

— C'est loin d'être sûr, ça ! Mais si tu veux arriver aujourd'hui, t'as plus de chances avec moi qu'en autobus. Allez, embarque, j'ai acheté deux gros cafés pour la route.

— T'es mon meilleur chum, tu devrais savoir que je bois pas de café !

— T'es mon meilleur chum, tu devrais savoir que je niaise !

11

Un nouveau départ

Pendant le long trajet d'environ sept heures qui sépare Gatineau de Rouyn-Noranda, Félix n'a guère le temps de fermer l'œil. Quelques journalistes de l'Abitibi et de la région de Rimouski le contactent pour connaître ses états d'âme. Heureusement qu'il ne leur a pas parlé hier. Ce matin, son discours est beaucoup plus pondéré qu'il ne l'était la veille et il n'écorche personne dans ses commentaires, pas même Russell Toussaint. En route, il converse aussi avec Christian Champagne, qui veille à s'assurer que tout se passe bien pour lui lorsqu'il arrivera avec sa nouvelle équipe. Son agent lui enverra par courriel toutes les informations nécessaires avec les noms et coordonnées des personnes importantes avec qui il devra entrer en contact au cours des prochains jours. Avant de quitter Louiseville, Félix devra avoir discuté avec les gens de sa nouvelle pension, le conseiller pédagogique, la secrétaire de l'Océanic et le gérant de l'équipement. Le congé de Noël va défiler rapidement, cette année.

Entre les nombreux coups de fil, les deux copains ont mille et une choses à se raconter. Unis par le passé et une amitié inébranlable, Carl et Félix ne se voient maintenant que pendant l'été, et en de rares occasions entre septembre et mai. Happé par sa vie trépidante, le jeune espoir des Kings semble parfois oublier que celle de son ami d'enfance n'est pas toujours rose. Après une année en sciences humaines au cégep, Carl a abandonné l'école pour travailler de façon permanente à la quincaillerie. Pour un garçon de dix-huit ans, son compte de banque est bien garni, mais sa vie lui paraît vide. Désillusionné, il souhaite retourner à l'école le plus tôt possible, mais aucun cours ne l'intéresse en ce moment. Le soir, il traîne dans les bars ou joue de la guitare avec son *band*.

Le reste du temps, il pense inlassablement à sa charmante et ténébreuse Cynthia. Son départ imprévu lui a scié les jambes et il s'accroche désormais à l'espoir que tout reviendra comme avant lorsqu'elle rentrera enfin à la maison après son long périple au bout du monde. Il aurait tout balancé pour l'accompagner, mais elle insistait vraiment pour partir en solitaire dans ce qu'elle appelle sa quête existentielle. Son départ l'a bouleversé. Ça aurait été tellement plus facile s'il elle l'avait officiellement laissé, mais ça n'a pas été le cas. Elle l'a quitté en lui demandant de ne pas l'attendre, tout en lui affirmant qu'elle l'aimait et qu'elle finirait par revenir.

En se comparant à son meilleur ami, Félix ne peut s'empêcher de penser qu'un petit déménagement à Rimouski n'est pas si dramatique. Là-bas, il va de nouveau jouer un rôle de premier plan, et après tout, Richard Caisse doit l'aimer beaucoup plus qu'il ne le pensait. Il ne souffle aucun mot de sa réflexion à Carl, préférant plutôt essayer de le secouer un peu.

— Ça te tente pas de décrocher ? demande Félix. Elle est trippante, Cynthia, mais je ne comprends pas pourquoi tu t'empêches de vivre à cause d'elle. Tu te vois pas aller, tu parles comme si c'était la seule fille au monde. On va rester à Rouyn à soir et on va revenir demain à Louiseville. On va coucher chez les Casault et on va sortir à soir. Tu vas voir : c'est l'enfer en Abitibi… Les *chicks* vont faire la file pour te jaser !

— La vie, c'est pas aussi simple que ça. Penses-tu que je sors pas, à Trois-Rivières ? J'ai beau rencontrer des filles et avoir du fun, je pense toujours à elle. Dans le fond, l'important, c'est pas d'avoir hâte de coucher avec une fille… L'important, c'est d'avoir hâte de se réveiller avec elle. Pis ça, c'est jamais arrivé avec personne d'autre que Cynthia.

— Tu files vraiment pas, toi, pour dire des affaires de même. Je vais t'avouer que personnellement, j'ai beaucoup de difficulté à comprendre ça. C'est égoïste ce que je vais te dire, mais je suis content de ne pas être en amour avec personne. Comme ça, je peux me concentrer sur des affaires plus importantes comme le hockey. Même avec Josiane, quand c'était pas vraiment sérieux, c'était quand même trop d'engagement. Moi, ma blonde, c'est le hockey.

— Complètement en désaccord avec toi. Mais on sort pareil à soir!

— Enfin une phrase intelligente! Ça fait un méchant bout de temps que t'as pas dit quelque chose de sensé, le nargue Félix. Mets-en, qu'on sort! Comme quand on a fêté mes dix-huit ans, l'année passée. Je joue pas avant une semaine! Tu vas voir que ça brasse à Rouyn!

Pour la première fois en trois ans, le Noël de Félix n'est pas affecté ou attristé par un épais brouillard qui l'empêche de se rappeler que cette période de l'année est dédiée au bonheur et à l'amour. Il ne souffre d'aucune commotion cérébrale, il ne risque pas d'être réprimandé par son équipe ou de recevoir une suspension de la part de la ligue. Enfin, il peut profiter d'une belle semaine pour se relaxer à la maison avec sa famille et ses amis.

Secrètement, il espérait grandement avoir paraphé son contrat avec les Kings avant les vacances des fêtes afin de gâter généreusement tout son monde, mais ce n'est que partie remise. De toute façon, son allocation hebdomadaire a été considérablement augmentée cette saison et il a été en mesure de dénicher de superbes cadeaux pour sa sœur Véronique, sa mère Line, et Denis qui, lui, est passé du titre de prétendant à celui d'amoureux officiel. Cette année, le réveillon se déroulera le 24 au soir chez son oncle Ghislain, le frère de son père. C'est lui qui a acheté le chalet familial et on va fêter comme à l'époque où toute la famille Riopel se réunissait pour célébrer Noël, avant le décès dramatique de son père.

Félix n'a que dix-huit ans, mais ces heureux souvenirs de son enfance lui paraissent si lointains aujourd'hui. Il ne se souvient même plus de la dernière fois où il a attendu cette journée avec autant d'impatience. En repensant à ces beaux moments, l'odeur du bois qui brûle dans le poêle, en se mélangeant au fumet des pâtés et des tartes qui chauffent dans le four, lui manque tout autant que les cris stridents de ses cousins surexcités par les cadeaux ou les éclats de rire tonitruants de ses oncles éméchés. Et chaque année, il contribuait hypocritement à augmenter le taux d'alcoolémie de son père en s'improvisant serveur pour être certain que son verre ne soit jamais à sec. Ainsi, il s'assurait de dormir au chalet – dormir étant un bien grand mot pour un garçon de dix ans en surdose de sucre! Aux alentours des trois heures du matin, avant que les parents commencent à se diriger vers les chambres situées au deuxième étage, tous les jeunes s'emparaient frénétiquement de leur sac à dos et descendaient au sous-sol où ils s'allongeaient l'un à côté de l'autre comme des touristes sur la plage bondée d'une populaire station balnéaire.

Et le lendemain, pas plus d'une heure après le réveil, son père et ses oncles se retrouvaient sur le lac gelé pour une partie de hockey avec tous les enfants. Pour Félix, cet instant se voulait encore plus attendu que l'arrivée de son oncle Ghislain qu'il feignait de ne pas reconnaître dans son vieux costume de Père Noël trop grand pour lui. Au milieu de l'après-midi, la faim finissait par les rappeler à l'intérieur. Subtilement, Félix recommençait alors son manège du 24 au soir en espérant que son père ne puisse être en mesure de prendre le volant. André jouait le jeu, comme son fils l'avait fait la veille, en applaudissant la venue du vieux barbu trop maigre dans son habit rouge.

Ces moments privilégiés de son enfance paraissent à des années-lumière. En plus, depuis la mort de son mari, Line et les enfants se sont lentement détachés du reste du clan Riopel, sans que personne ne le réalise vraiment. Il ne faut pas chercher de coupables, c'est la vie qui semble avoir sournoisement décidé ça. Inexorablement, le temps a fait son œuvre et le fossé s'est élargi jusqu'à finalement créer un malaise imaginaire dont Line a porté le fardeau, puisque c'est elle qui, d'année en année, refusait systématiquement les invitations au chalet de la famille de son défunt mari. L'odeur du poêle à bois et des tartes lui rappelait des souvenirs trop douloureux.

Excité à l'idée de retourner fêter Noël avec la famille Riopel et de revoir ses cousins pour la première fois depuis quelques années, Félix a le sentiment de retomber en enfance. Avant de quitter Louiseville avec sa sœur Véronique, il sort de l'auto, retourne dans le garage et en ressort avec ses patins et deux bâtons, juste au cas où la magie ferait son œuvre ! Car pour lui, ce retour au chalet ramène l'enchantement de ces années féeriques qui ont marqué sa vie. Le hockey a tellement envahi son quotidien qu'il en a pour ainsi dire oublié presque tout le reste, dont la famille de son père. Cette année, s'il n'y a pas de contretemps, ils seront une bonne trentaine, puisque son père André était l'aîné d'une famille de cinq enfants.

— Tu files pas, le frère ? l'interpelle Véronique en riant.

— C'est quoi, ton problème ? Pourquoi tu dis ça ? demande Félix, un peu sur ses gardes.

— Tu chantes des chansons de Noël en conduisant ! Continue, je vais te photographier… T'es trop drôle! Je vais envoyer ça à maman par texto. Elle doit déjà être rendue à Saint-Donat avec Denis.

— Attends, c'est rien. J'ai une surprise pour maman, dit-il en étirant le bras vers la banquette arrière, où il tente à l'aveuglette de récupérer un grand sac en plastique. Ça y est! Regarde ça, une belle tuque de Noël! J'en ai acheté une vingtaine, il y en a une pour tout le monde, poursuit-il avec fierté.

— Wow... tu files vraiment pas! Garde les yeux sur la route et fais-moi un beau sourire, je vais prendre une photo pour la mettre sur Facebook et Twitter.

— Envoye, gâte-toi, la sœur!

> @VeroRiopel
>
> Il y a un lutin des fêtes dans la voiture! Il ressemble à @Rippy57! C'est ça la magie de Noël???

Recroquevillé dans son sac de couchage, Félix n'ose pas encore sortir de cette chaude enveloppe. Habitué à dormir dans l'autobus, ce n'est pas tant le bruit qui l'a réveillé mais plutôt son estomac qui crie famine. Autour de lui, ses cousins et ses cousines s'activent depuis plus d'une heure en espérant qu'il finira bientôt par se lever. Car, en plus de se prévaloir de son statut de plus vieux du groupe en vertu de ses dix-huit printemps, ses prouesses au hockey le placent sur un piédestal aux yeux des plus jeunes. Ce n'est pas un phénomène unique aux enfants : il a bien réalisé hier que ses oncles et ses tantes sont aussi extrêmement fiers de lui. Même qu'il ne savait plus du tout comment réagir quand son oncle Jean-François, moins gêné qu'à l'habitude grâce à trois verres de scotch, s'est lancé haut et fort dans une tirade dithyrambique à son endroit… juste avant l'arrivée du Père Noël.

— Pis, autant je suis fier de dire à tout le monde que Félix, c'est mon neveu, pis qu'il va jouer dans la Ligue nationale dans pas long, autant ça me fait de la peine qu'André soit pas là pour partager tout ça avec lui, avec nous. Je m'ennuie de toi, mon grand frère, pis tu serais fier de ton fils en maudit, a-t-il achevé avant d'éclater en sanglots.

Caché dans les escaliers menant au sous-sol où il attendait patiemment le moment propice pour faire son entrée, Ghislain a temporairement oublié le rôle qu'il s'apprêtait à jouer. La barbe glissée sous le menton, sa perruque et sa tuque dans une main et une bouteille de bière dans l'autre, il est venu rejoindre son frère sous le regard médusé des enfants.

— Moi aussi, il me manque, André… Je pense à lui à tous les jours… J'y pense plus souvent que quand il était vivant, lance-t-il en arrivant près du sapin. Pis ça me fait tellement chaud au cœur à soir de fêter Noël avec Line et les enfants, comme avant. Et la vie continue. Et bienvenue dans la famille, Denis! T'as l'air d'un bon gars mais on te surveille de proche!

— T'es pas supposé arriver en faisant oh, oh, oh, toi? enchaîne Jean-François en s'essuyant les yeux tout en riant de sa propre boutade.

— Pas cette année! Cette année, j'arrive en criant: "Vive la famille Riopel et *Go Kings Go*!", dit-il en pointant sa bouteille vers le ciel avant de replacer sa barbe, sa perruque et sa tuque.

Mal à l'aise et ému, Félix n'a rien dit. Il avait presque oublié à quel point il était fier d'être un Riopel et c'est probablement ce qui le chagrine le plus, à ce moment précis. Alors qu'il est perdu dans ses pensées et qu'il revit cette scène de la veille, un cri de joie de son petit cousin Jérémy le ramène à la réalité. Quand il entrouvre l'œil, Félix n'a qu'une fraction de seconde pour contracter ses muscles en apercevant l'enfant de dix ans s'élancer le plus haut possible pour lui sauter dessus.

— Félix! Réveille-toi, on va jouer une *game* de hockey sur le lac! Toute la gang y va, même ma mère! hurle frénétiquement Jérémy en lui brassant les épaules avec énergie.

— Depuis quand que les mères viennent jouer au hockey, le 25 au matin? Sont beaucoup trop frileuses et faut pas qu'elles cassent leurs ongles.

Arrête de dire des niaiseries, Jé, répond Félix en bâillant.

— Je raconte pas de menteries ! Tout le monde y va. Les autres finissent de déjeuner, pis on fait la partie. Regarde, je suis déjà tout habillé ! enchaîne le garçon en bondissant littéralement sur son cousin, prisonnier et sans défense dans son cocon. Allez, dépêche-toi, je veux qu'on soit dans la même équipe !

Deux minutes plus tard, Félix constate que le petit Jérémy n'exagérait pas. La cuisine a des allures de fourmilière. Son beau-père Denis, qui semble déjà bien accepté dans la famille, est dehors avec ses oncles. Alors que les hommes s'affairent à gratter la neige sur le lac, les femmes terminent de manger et bavardent, pendant que toute la marmaille s'habille chaudement pour aller affronter les rigueurs de l'hiver. En approchant de l'immense fenêtre du salon qui offre une vue splendide du lac Archambault, Félix se frotte les yeux pour être certain qu'il n'est pas victime d'une hallucination. Les six hommes qui préparent la patinoire portent tous un chandail des Kings sur lequel a été brodé « Riopel » et « 57 ». Il n'en revient tout simplement pas !

Line, qui a tout observé en silence, s'avance vers son fils. Doucement, elle le prend par la taille et penche sa tête sur son épaule.

— On aurait dû revenir ici bien avant, dit-elle tout simplement.

— Ouais, se contente-t-il de répondre, la voix nouée par l'émotion.

— Ils sont tous tellement fiers de toi, mon homme. Et c'est pas tout. Retourne-toi et regarde les cousins et les cousines…

Du coup, Félix observe la demi-douzaine d'enfants qui se dépêchent de sortir jouer dehors. Chacun d'entre eux a aussi un chandail « Riopel 57 » près de lui.

— Wow… vous allez être beaux pour la *game!* lance Félix, éberlué.

— Regarde ! crie Jérémy, surexcité. J'ai ton nouveau chandail de l'Océanic ! J'ai donné mon vieux des Huskies à Chloé, poursuit-il en pointant sa petite sœur qui tente tant bien que mal d'enfiler ses bottes sans l'aide de sa mère. Allez, arrête de nous regarder, pis dépêche-toi. Attention tout le monde ! hurle le garçon. Félix est dans mon équipe ! Je l'ai dit le premier ! Je suis le capitaine de l'Océanic et je le prends dans mon club !

Trente minutes plus tard, sur la berge du lac gelé, l'équipe mixte des « Riopel 57 » foncés affronte celle des « Riopel 57 » pâles… et le seul joueur du groupe à ne pas avoir de chandail est Félix lui-même ! À la fin de la partie, avant que ce joyeux groupe rentre se réchauffer et casser la croûte, Denis, l'amoureux de Line, sort son appareil photo et gagne des points en proposant d'immortaliser ce beau moment en famille.

FélixRiopel @Rippy57

Plus beau temps de l'année ! Love my family. Love the game…and can't wait to meet my new teammates !

Même si l'ambiance et le contexte se veulent totalement différents, trois jours plus tard, Félix n'est pas moins enthousiaste quand il immobilise sa voiture dans le stationnement du vieux Colisée de Québec. Deux heures auparavant, il a quitté Louiseville le cœur léger et l'esprit revigoré comme jamais. Or, le nouveau défi qui l'attend l'emballe au plus haut point mais lui apporte également une bonne dose d'inquiétude, car même s'il pourra s'appuyer sur certains repères avec Richard Caisse et Loïc Penosway, il n'en demeure pas moins que c'est la première fois de sa vie qu'il se trouve impliqué dans une transaction, et soudainement, la réaction des autres joueurs le préoccupe.

En balayant l'horizon du regard, Félix n'aperçoit pas l'autobus de l'Océanic. Alors qu'il se demande s'il est préférable de demeurer dans sa voiture ou de rentrer tout de suite à l'intérieur, il aperçoit son ancien coéquipier marcher vers l'entrée en compagnie d'un homme qu'il suppose être son père. Quel soulagement ! Il ne sera pas seul à attendre l'équipe.

Lorsque Caisse se pointe dans l'amphithéâtre, les deux anciens porte-couleurs des Huskies ont déjà eu l'occasion de faire connaissance avec presque la moitié du club, la plupart des joueurs ayant décidé de ne pas rejoindre le groupe à Rimouski pour pouvoir étirer d'une journée leur congé de Noël dans leur famille.

— Salut les *boys* ! lance Caisse en s'amenant vers les jeunes. On embarque sur la glace tout de suite après les Remparts, donc soyez prêts dans à peu près trois quarts d'heure. Les deux nouveaux, vous viendrez me voir dans mon bureau dans cinq minutes, faut que je vous parle avant l'entraînement. Pour l'instant, suivez la gang. Pete va vous donner l'équipement qui vous manque.

— Me semble que le coach aurait pu être un peu moins bête que ça, chuchote Penosway. Y a même pas l'air content de nous voir. J't'avertis, Rippy, s'il agit en fou avec moi, je repars drette à soir.

— Dis pas de niaiseries ! Je viens de revoir le bon vieux Richard Caisse qu'on a connu à Rouyn et j'adore ça !

Après avoir récupéré gants, casque, bas et chandail ainsi que quelques survêtements et des t-shirts de l'Océanic, les deux anciens joueurs des Huskies se présentent au reste de la bande. Même si deux coéquipiers appréciés ont été sacrifiés dans la transaction qui les a amenés à Rimouski, l'accueil à leur endroit semble sincèrement cordial. Sans perdre de temps, Félix et Loïc vont ensuite rencontrer leur entraîneur, tel que demandé.

— On va faire ça bref, commence Caisse en leur pointant les deux chaises devant son bureau pour leur signifier de s'asseoir. Comme je vous l'ai dit à tous les deux au téléphone, je suis très heureux d'avoir pu faire votre acquisition. Ici, il n'y a qu'un seul objectif cette année et c'est de gagner la Coupe Memorial. Penosway, tu seras pas habillé à soir, ajoute-t-il en le regardant. Ça fait au-dessus d'un mois que t'as pas joué et je veux te voir une couple de fois à l'entraînement avant de te rentrer dans la formation. Après ça, ça va être à toi de me prouver que tu veux pas sortir du *line-up*. Est-ce que c'est un *deal* qui fait ton affaire?

— Si je joue, ça va faire mon affaire, réplique l'Amérindien sans entrain. Je passerai pas le reste de l'hiver dans le Bas-du-Fleuve juste pour m'entraîner.

— C'est pas moi qui vais décider. C'est à toi que ça appartient. Si tu travailles et que tu fais la job, j'aurai aucune raison de t'envoyer dans les estrades. Je ne vous ferai pas de cadeau parce que je vous connais. C'est même le contraire qui va arriver, parce que je sais ce que vous pouvez me donner et que j'ai de grandes attentes à votre endroit.

— Moi aussi, j'ai de grandes attentes, réplique Penosway. J'ai jamais été aussi en forme de toute ma vie.

— Pour toi Félix, je ne sais pas à quoi ça va ressembler dans deux semaines, mais pour l'instant, avec l'absence de Bernier qui est au Championnat du monde avec Team Canada, tu vas pogner le centre du premier trio jusqu'à son retour. Après ça, on verra. Je ne te fais aucune promesse. Essaye pas de voler le show et de trop en faire. Joue une *game* simple… sans trop de dentelle, c'est quand même pas Victoria's Secret ici!

Gonflé à bloc, Félix ne rate pas sa rentrée avec l'Océanic. Devant la plupart des membres de sa famille qui, le soir du réveillon, s'étaient engagés à se rendre à Québec pour le voir à l'œuvre contre les Remparts, il termine sa soirée de travail avec une récolte de deux buts et autant de mentions d'aide pour mériter la première étoile de la rencontre dans un gain de 6 à 2.

FélixRiopel @Rippy57

Excellent départ avec les Nics. Love my new team. Great guys here.

Après la rencontre, Félix prend le volant et roule dans le sillon de l'autobus de l'Océanic qui revient à la maison. Richard Caisse a demandé au vétéran Nicolas Chiasson de l'accompagner afin de lui tenir compagnie pendant ce trajet de trois heures en pleine nuit. À cette période de l'année, l'autoroute 20 est souvent balayée par de violentes et imprévisibles bourrasques de vent et l'entraîneur a aussi désigné des accompagnateurs pour tous les joueurs qui rentrent à Rimouski avec leur voiture. Originaire de Shippagan au Nouveau-Brunswick, Chiasson, un grand défenseur de 6 pieds et 4 pouces, explique à Félix comment il perçoit son équipe. Âgé de dix-neuf ans et repêché en deuxième ronde par les Jets de Winnipeg, il dispute vraisemblablement sa dernière saison dans la LHJMQ.

Les deux nouveaux coéquipiers discutent tout au long du parcours. Le sympathique Acadien aborde une multitude de sujets, allant de la façon de travailler de Richard Caisse jusqu'aux questions curieuses de certains journalistes.

— Je ne sais pas comment ça fonctionne en Abitibi, mais tu vas voir qu'ici, les médias couvrent l'Océanic presque comme si c'était le Canadien de Montréal. Ils sont toujours présents aux entraînements et on parle de nous chaque jour à la télé, à la radio et sur le Web. En plus des journaux locaux, y a souvent des articles dans le *Journal de Québec*, explique Chiasson avec son savoureux accent.

— Ça ressemble à ça aussi à Rouyn pis à Val-d'Or, répond Félix sans regarder son passager. As-tu une voiture, Nic?

— Ouais, moi aussi j'ai une vieille bagnole! répond le défenseur en riant. Je l'ai laissée à Shippagan. J'en ai pas besoin à Rimouski: y a un concessionnaire automobile qui me fournit une voiture flambant neuve pendant toute la saison. On est cinq dans le club à avoir une commandite comme ça!

— Wow… Ça c'est cool, *man*, répond Félix en songeant qu'il aura peut-être la chance de se prévaloir d'une opportunité semblable l'année prochaine, s'il endosse toujours l'uniforme de l'Océanic… et s'il connaît du succès là-bas.

Pendant que Félix s'imagine au volant d'une rutilante automobile de l'année, à la radio l'animateur accueille le journaliste qui va maintenant donner les résultats de tous les matchs présentés dans le circuit. Nicolas allonge le bras et monte le volume. Quand le reporter fait état de la brillante performance de Félix à Québec, son copilote lui donne un solide coup de poing sur l'épaule, ce qui signifie tout simplement qu'il est fier de sa rentrée avec l'équipe. Puis, quand l'animateur annonce deux minutes plus tard que les Huskies se sont fait rosser 6 à 1 par les Saguenéens à Saguenay, Chiasson sert une deuxième taloche amicale à son nouveau coéquipier.

Quelques centaines de kilomètres plus loin, Russell Toussaint peste contre ses ouailles. Assis au bar de l'hôtel en compagnie de son adjoint Pascal Milette, il n'a pas encore digéré la défaite. Entre deux verres de Grand Marnier, l'ancienne grande vedette des Stars se défoule depuis plus d'une heure sur le dos de ses joueurs, auxquels il ne trouve pas la moindre qualité. Les yeux rivés sur les bulles qui montent dans son verre de bière, l'assistant se contente d'écouter le maître.

— Nadia, un autre Grand Marnier s'il te plaît, demande gentiment Toussaint à la serveuse en frappant son verre contre le comptoir. Apporte-moi un double, comme tantôt. Mon chum va reprendre une autre bière aussi… Et continue de mettre tout ça sur ma facture. On est loin d'être partis, beauté !

— Est-ce que je peux te parler franchement, Russell ? questionne Milette en dévisageant Toussaint.

— Quoi ? Tu vas me dire que je ne devrais pas boire ce soir, même si c'est le temps des fêtes ? réplique froidement l'entraîneur-chef. Tu vas me dire que je dois faire attention à l'image des Huskies parce que les gens pourraient me reconnaître dans le bar ? T'as peur que je me saoule ? Si c'est ça que tu veux me dire… Non, ce soir, tu ne peux pas me parler franchement, conclut-il en éclatant de rire. À soir, on décompresse, mon Pascal !

— Inquiète-toi pas. Tu peux faire tout ce que tu veux à l'âge que t'as, répond Milette sans lui retourner son sourire.

— C'est quoi, ton problème ? On dirait que t'as l'air fâché, répond Toussaint en portant son verre à ses lèvres.

— Je ne suis pas du tout fâché. C'est juste que j'aimerais que tu m'expliques une chose sérieusement, précise l'adjoint. On est rendu au milieu de la saison et il y a deux ou trois affaires que je ne comprends vraiment pas.

— Comme quoi ?

— Comme pourquoi tu te fous des *kids* ? Je reconnais que tu veux que le club gagne mais j'ai l'impression que tu te sacres complètement de ce qui arrive à nos gars. Pire, des fois, on dirait que t'inventes des guerres avec eux. Comme avec Riopel, par exemple. On se fera pas de cachette, s'il est parti de Rouyn, c'est uniquement de ta faute.

— J'ai jamais caché que c'était pas mon genre de joueur. Je l'ai dit devant toi au début de l'année quand on a eu notre meeting avec Dany. Ça change quoi qu'il soit parti ou pas ? On a eu des bons joueurs en échange.

— C'est plus que ça, Russ. On dirait carrément que t'haïs ça, coacher. Ça fait seize ans que je fais ce travail et j'en ai vu, des entraîneurs. Toi, on dirait que tu viens chercher ton chèque de paye. Je ne vois aucunement la passion dans ton attitude et on dirait que pour toi, tous les joueurs sont des attardés, lâche Milette avec sincérité. Dis-moi pas que t'es obligé de coacher junior majeur pour arriver financièrement ?

— Malgré toutes les rumeurs qui circulent sur mon compte, je te jure que je ne fais pas ça pour l'argent. C'est vrai, ce que t'as lu dans le journal : y a trois ans, j'ai perdu 15 millions dans une entreprise qui faisait des logiciels de jeux vidéo. C'est une méchante claque sur la gueule, ça. Mais j'ai fait pas mal plus que ça dans ma carrière et j'avais aussi fait des placements dans des compagnies qui m'ont beaucoup rapporté… Mais ça, personne en a parlé, explique-t-il avant de finir son verre d'un trait. Nadia, ton ami Russ est en train de se déshydrater !

— Si t'as pas besoin d'argent, dis-moi franchement ce que tu fais ici. C'est clair que t'haïs ça, le coaching. Es-tu en train de sonder le terrain parce que tu veux acheter le club ?

— Lâche la bière, Pascal ! Acheter le club, es-tu fou ? J'veux rien savoir des Huskies pis de Rouyn-Noranda. Tu veux connaître la vérité? C'est un trou, pis j'ai effectivement aucun plaisir en Abitibi. C'est la Sibérie, chez vous. J'ai juste hâte de décâlisser. C'est ça, la vérité, admet Toussaint en haussant légèrement le ton. L'Abitibi, c'est le frigidaire du Québec, poursuit-il plus calmement. Mais sais-tu ce qui est pire que de vivre à Rouyn-Noranda ?

— À t'écouter, y a pas grand-chose de pire que ça.

— Ce qui est pire que ça, c'est de coacher des petits morveux. Cette génération-là, je suis complètement incapable. Des petits fendants comme Riopel et compagnie, excuse-moi, mais j'ai aucune tolérance pour ça, répond-il. J'en ai plein mon casque des jeunes ados imberbes qui se prennent pour des hommes et qui veulent jouer aux adultes. Je réécrivais le livre des records des Stars pis y en a pas un dans le club qui savait patiner à ce moment-là. Ils devraient tous prendre leur trou et se sentir chanceux de m'avoir comme coach, poursuit-il en prenant lentement une lampée avant de conclure. Mais c'est pas ça qui se produit ! Il faut tout leur expliquer, pis ça boude quand ça fait pas leur affaire.

— T'as pas besoin d'argent, tu détestes l'Abitibi et tu méprises les adolescents. Pourquoi t'as accepté la job dans ce cas ?

— Écoute attentivement ce que je vais te dire, murmure Toussaint en s'approchant à quelques centimètres seulement de son adjoint. Est-ce que tu peux me jurer que tu ne répéteras jamais ce que je vais te dire ?

— Fais-moi confiance, Russ. Je ne dirai jamais un mot à personne.

— De toute façon, si jamais tu répètes ça à qui que ce soit, je vais jurer que c'est toi qui as inventé tout ça. J'ai donné ma vie aux Stars, commence-t-il. Plus de matchs joués, plus de buts, plus de passes, plus de points, autant en saison régulière qu'en séries. J'ai été capitaine pendant huit saisons et j'ai amené la coupe Stanley au Texas. Ça fait seulement cinq ans que j'ai pris ma retraite et on dirait que tout le monde a déjà oublié ça. Honnêtement, si ça n'avait pas été de moi, les Stars ne seraient peut-être même plus à Dallas aujourd'hui, continue Toussaint en chuchotant. Avoue que c'est pas normal…

— Pas normal que les Stars soient encore à Dallas ? demande Milette, qui a de la difficulté à suivre le raisonnement de son entraîneur.

— T'es pas vite, toi, des fois. C'est pas normal qu'aujourd'hui, tout le monde se sacre de moi à Dallas avec tout ce que j'ai fait pour les Stars. Cibole, j'ai été leur idole pendant quinze ans ! poursuit Toussaint en donnant un coup de poing sur le comptoir en bois.

— OK, rétorque Milette. Ça, je le comprends. Je ne comprends pas pourquoi c'est comme ça à Dallas… Je veux dire que je comprends ce que tu expliques. Mais je ne comprends pas du tout le rapport avec les Huskies…

— Je veux revenir à Dallas par la grande porte et il n'y a pas dix mille façons. Plus que ça, je veux retourner là-bas en sauveur, exactement comme

Patrick Roy a fait au Colorado. Il n'avait même pas encore dirigé une seule partie qu'il était déjà redevenu la grande vedette qu'il était auparavant à Denver. C'est ça qui va se produire avec Russell Toussaint. Dans un an ou deux, on va de nouveau me dérouler le tapis rouge.

— Attends un peu! Donc, si je suis bien ton raisonnement, c'est la faute à Patrick Roy si aujourd'hui, t'es en train de foutre le bordel à Rouyn?

— *You got it!* riposte Toussaint en frappant gaiement sur le comptoir avec la paume de sa main droite. J'ai pas le choix de perdre deux ou trois ans de ma vie à coacher des juniors, mais quand je reviendrai à Dallas, ça sera en héros, pareil comme Patrick. Idéalement, j'aurais aimé être entraîneur-chef et directeur général, mais je ne connaissais pas assez la ligue l'été passé. Actuellement, je suis en train de m'arranger pour faire sauter Lafrenière et l'an prochain, ça va rouler à mon goût! confie-t-il à son adjoint visiblement secoué par de telles confidences.

Alors que Pascal Milette laisse échapper un énorme soupir, Toussaint empoigne son verre et le vide d'une gorgée. Pendant quelques minutes, les deux hommes n'échangent pas un mot. Appuyés au bar, le menton bien relevé, ils regardent tous les deux défiler les résumés des matchs de la LNH sur l'écran suspendu au-dessus des bouteilles d'alcool.

Estomaqué par les aveux de Toussaint, l'entraîneur-adjoint ne sait plus quoi penser.

— Nadia ! crie soudainement Milette. J'pense que mon boss et moi, on est dus pour une petite tournée. Plus j'y pense, et plus je suis surpris par ce que tu viens de me dire, ajoute-t-il en parlant plus faiblement. T'as décidé de devenir entraîneur quand t'as constaté ce qui arrivait à Patrick Roy au Colorado. C'est spécial, ton histoire, Russ.

— On m'a déjà approché deux fois pour un rôle d'adjoint dans la Ligue nationale, admet Toussaint. J'ai failli accepter, mais aujourd'hui, je sais que j'ai pris la bonne décision. J'exagère un peu quand je parle de l'Abitibi, mais on s'entend que Rouyn-Noranda, c'est quand même pas Boston, Chicago ou Vancouver. Par contre, j'invente rien quand je te dis que les *kids* sont franchement insupportables. Ça, c'est vraiment pire que ce que j'avais imaginé en acceptant la job.

— Pis ? Si ça fonctionne pas, ton plan ?

— C'est certain que ça va marcher, réplique prestement Toussaint. Ça fait deux fois que je discute avec le propriétaire des Stars ! Ça ne sera peut-être ni cette année ni la saison prochaine, mais ça va finir par arriver. Pis toi, tu vas me suivre à Dallas comme adjoint, enchaîne-t-il en affichant un petit sourire sournois. C'est pour ça que je t'explique tout ça, ce soir. Je sais que tu vas fermer ta gueule et que tu vas travailler fort pour m'aider, parce que si ça fonctionne pour moi, ça va aussi fonctionner pour toi, conclut-il en portant son verre en direction de Milette afin de trinquer à la réussite de son projet machiavélique.

12

La résurrection de Félix

Dissimulé dans le corridor qui mène au vestiaire de l'Océanic, Félix ne peut réprimer un large sourire quand ses coéquipiers défilent en lui tapant joyeusement sur l'épaule. Un peu gêné mais surtout extrêmement fier, il attend que son nom retentisse dans les haut-parleurs. Trois jours après avoir joué les héros à Québec contre les Remparts, la nouvelle acquisition de Richard Caisse vient de nouveau de voler le spectacle, cette fois face au Drakkar de Baie-Comeau.

« Et maintenant, la première étoile. Avec une performance d'un but et trois passes : de l'Océanic, le numéro 57, Félix Riooooopel ! »

En entendant son nom, Félix court quelques pas et saute sur la patinoire. Pointant son bâton vers le ciel au bout de la main gauche, il s'avance vers le centre de la glace, le temps d'effectuer un tour timide avant d'aller rejoindre le reste de l'équipe sous les applaudissements nourris de cette foule déjà conquise à la suite de sa première prestation à domicile.

— Paraît qu'on ne laisse qu'une seule bonne première impression et je ne voulais pas rater mon coup ! lance Félix aux journalistes qui l'entourent après la rencontre. J'étais nerveux avant la partie. En fait, pour être honnête, je suis nerveux depuis hier. Après notre entraînement, je suis resté longtemps tout seul sur la patinoire pour prendre des lancers et patiner. À un moment donné, je me suis accoté sur la bande, j'ai pris une gorgée d'eau et j'ai remarqué les chandails qui sont accrochés au plafond. J'ai vu ceux de Vincent Lecavalier et de Brad Richards. Je me suis aussi dit que Sidney Crosby avait joué ici. Pis là, je me suis mis à penser et je suis devenu nerveux comme jamais.

— Tu t'es mis à penser à quoi ? interroge Bill Vincent, le doyen des journalistes sportifs de la région.

— C'est la première fois de ma vie que je suis échangé et je me demandais comment les partisans allaient réagir. J'espérais jouer une bonne partie, je me demandais si j'allais être à la hauteur. Aussi, je me suis souvenu qu'il y a deux ans, avec les Huskies, à ma première année dans la ligue, on avait éliminé l'Océanic en séries éliminatoires. Après cinq matchs, on tirait de l'arrière 3 à 2 et on avait remporté les deux parties suivantes pour gagner en sept. Les gens ici sont intenses et passionnés, et je me demandais s'ils allaient me huer à cause de ça… Mais j'étais blessé à une cheville et je n'avais pas joué toutes les parties, blague-t-il pour s'attirer un peu de clémence.

— Finalement, les partisans ont l'air de t'aimer! interrompt la jeune reporter Martine Tremblay, fraîchement graduée en journalisme.

— Exact, c'est pas si pire que ça! Mais faut que je m'arrange pour que ça reste de même! Donc, faites de beaux reportages sur moi, s'il vous plaît!

Le lendemain, sans grande surprise, la nouvelle coqueluche de l'Océanic est nommée première étoile de la semaine dans la LHJMQ en vertu de sa récolte de trois buts et cinq passes en deux joutes. Félix flotte littéralement sur un nuage. Seule ombre au tableau, à Rimouski, la direction de l'équipe l'oblige maintenant à aller à l'école. Seuls les joueurs de vingt ans et les étrangers peuvent l'éviter, ce qui ne fait pas tellement son bonheur. Dans son esprit, ces longues heures passées à étudier ne représentent rien de plus qu'une immense perte de temps, puisqu'il est convaincu qu'il gagnera très bien sa vie en jouant au hockey, dans la LNH ou, au pire, en Europe.

Le week-end suivant, la troupe de Caisse quitte Rimouski pour aller affronter les Cataractes à Shawinigan, le vendredi soir, et les Tigres, le dimanche après-midi, à Victoriaville. Récemment revenu de Suède où il participait aux Championnats du monde junior, Cédrick Bernier devrait logiquement rater ces deux duels. Médaillé d'or et sélectionné sur la première équipe d'étoiles du tournoi, le gros joueur de centre a été accueilli en demi-dieu lors de son arrivée à l'aéroport. Ces quelques jours de repos l'aideront grandement à refaire le plein d'énergie et à combattre la fatigue entraînée par le décalage horaire, depuis son retour.

Après une semaine d'entraînement avec ses nouveaux coéquipiers, Loïc Penosway aura pour sa part la chance d'enfin disputer un premier match en près de deux mois. Les directives de l'entraîneur sont claires : il faut qu'il soit très consciencieux défensivement, qu'il frappe le plus possible, qu'il se place devant le filet et qu'il évite de causer des revirements quand il se retrouve en possession de la rondelle.

Pour ce retour dans le feu de l'action, Caisse place le gros Algonquin sur le flanc gauche au sein du quatrième trio qu'il complète en compagnie de Marc-André Pomerleau et Joey Hudson. Au sommet de sa forme, Penosway se défonce à l'ouvrage tout en respectant les consignes. Utilisé sporadiquement, il abat tout de même de la très bonne besogne, à la plus grande satisfaction de celui qui l'a sorti de cette retraite prématurée. Blanchi pour la première fois depuis qu'il endosse l'uniforme de l'Océanic, Félix livre une performance honnête, sans plus. Les visiteurs l'emportent au compte de 3 à 1.

FélixRiopel @Rippy57

Fier de mon chum Loïc Penosway... back in action. 1er match avec les Nics ! Good job Big !

Le dimanche, l'Océanic prolonge sa séquence victorieuse lors de son escale dans la région des Bois-Francs. Cette fois, la troupe de Richard Caisse l'emporte 4 à 0 et le numéro 57 se fait complice de deux filets. Toutefois, Félix sait très bien que la fête tire à sa fin. Bernier sera de retour au jeu pour la prochaine joute et il sera indubitablement muté sur un autre trio. En sortant du vestiaire avec une boîte de poulet à la main, le jeune espoir des Kings aperçoit Martin Dion, le recruteur qui l'a repêché à Los Angeles.

— Es-tu content de te retrouver à Rimouski ? lance l'homme en guise d'introduction.

— Je ne peux certainement pas me plaindre, monsieur Dion ! C'est toute une machine de hockey, l'Océanic. Ça me fait penser aux Huskies quand je suis arrivé dans la ligue à seize ans, commente Félix.

— As-tu trouvé ça difficile d'être échangé ? demande le dépisteur.

— Oui pis non. Je me sentais chez moi, à Rouyn-Noranda, mais en même temps, ça marchait pas avec Russell Toussaint. J'aurais jamais pensé dire ça un jour, mais j'étais content de retrouver Richard Caisse, répond Félix en riant.

— Ça fait longtemps que je le connais, le gros Rick. Y a ses qualités et ses défauts, pis tu l'aimes ou tu l'aimes pas. Y a une chose que je peux te dire sans me tromper, il t'aime vraiment. Je lui parle à peu près à toutes les deux semaines pour le questionner sur ses joueurs et ceux des autres clubs, explique Dion. C'est rare en maudit qu'il se trompe quand vient le temps d'analyser un joueur. Et quand je dis joueur, ça implique autant le jeu sur la glace que l'attitude et le mental de l'individu.

— C'est quand même pas toujours le fun de vivre avec lui au quotidien. Vu que je suis pas son genre de joueur, on peut dire que j'y ai goûté avec lui à Rouyn, avoue le nouveau porte-couleur de l'Océanic.

— C'est un coach *tough*, n'est-ce pas ?

— C'est pas seulement ça. C'est certain que c'est un bon coach et qu'il sait comment nous motiver. Mais des fois, on dirait qu'il s'acharne, enchaîne Félix. Faut que tout marche à sa manière. Il crie, il sacre et il se fâche souvent pour des niaiseries. En tout cas, moi, il était souvent sur mon dos.

— Écoute-moi comme il faut, mon petit Riopel, interrompt Dion. Si c'est pas de Richard Caisse, c'est pas certain qu'on t'aurait repêché aussi haut qu'en troisième ronde. Chaque fois que je lui ai posé des questions à ton sujet, il me répondait presque toujours la même affaire : "Riopel, c'est un *gamer*. Quand ça compte, il est encore meilleur. Y a de grosses habiletés, mais encore plus important, c'est un *kid* qui a du chien, pis ça, ça s'apprend pas. C'est une petite tête de cochon, il est orgueilleux et parfois même fendant… C'est aussi des qualités, ça, mais souvent, c'est dans son vestiaire qu'il agit de la sorte. La journée qu'il va prendre son trou et mettre autant d'énergie contre l'adversaire, y aura plus aucune limite pour lui." Ça, c'est pas moi qui le dis. C'est Richard Caisse. Donc, quand tu dis qu'il était sur ton dos, c'était peut-être mérité aussi.

— C'est possible, monsieur Dion, rétorque à contrecœur l'espoir des Kings.

— De toute façon, je ne suis pas venu à Victo pour te parler de ton coach. À part deux présences en troisième période, j'ai bien aimé ta partie. J'avais hâte de te voir avec Rimouski. C'est pas du tout le même genre de club que Rouyn et t'as un rôle différent aussi. D'ailleurs, parlant de rôle, j'ai adoré comment tu as réagis quand Toussaint t'a donné une mission défensive.

— Merci. Honnêtement, ça faisait pas mon affaire, mais c'est pas comme si j'avais eu le choix, réplique franchement Félix.

— As-tu grandi ? interroge soudainement Dion en changeant de sujet.

— Non, on dirait bien que je suis plafonné à 5 pieds et 10 pouces. Et je pèse la même affaire qu'au camp d'entraînement des Kings, c'est-à-dire 159 livres.

— Va manger ton poulet avant que ça soit froid. Maintenant, il faut que je jase avec le petit Michaud avant que votre autobus parte, achève le dépisteur en serrant fermement la main de son jeune poulain. On se revoit dans une couple de semaines… et pense à ce que je t'ai dit par rapport à ton coach.

— Ouin… répond Félix, en faisant la moue avant de tourner les talons.

— Riopel, oublie pas une affaire. Caisse est pas allé te chercher pour tes beaux yeux.

Début février, Félix a depuis longtemps oublié cette banale conversation qu'il a eue avec le recruteur des Kings au Québec, un mois auparavant. Pourtant, son attitude et son approche semblent avoir changé. Dans le vestiaire de l'Océanic où personne ne le connaissait vraiment, c'est carrément impossible de percevoir la moindre différence.

Même Loïc Penosway n'a pas remarqué que son coéquipier n'agit pas tout à fait de la même façon. Richard Caisse a bien noté que son joueur de centre se comporte un peu différemment, mais pas assez pour que ça soit réellement frappant. Félix lui-même n'a possiblement pas réalisé qu'il agit autrement.

Contrairement à Rouyn-Noranda, on ne retrouve aucune clique dans le vestiaire de Rimouski où tout le monde forme un groupe homogène. Quand un joueur déroge et tend à s'écarter du clan, le capitaine Cédrick Bernier intervient posément. Il semble toujours être en mesure de trouver les bons mots, de parler sur le ton qu'il faut et d'intervenir au moment approprié. Depuis l'arrivée de Félix avec l'Océanic, jamais personne n'a osé contester son autorité.

Doté d'un talent phénoménal et d'un physique avantageux, Cédrick s'est vu attribuer, alors qu'il n'avait qu'une douzaine d'années, l'étiquette de future vedette de la LNH. Or, pendant toute son adolescence, il a trop souvent été contraint de composer avec la jalousie des autres joueurs, et surtout l'attitude mesquine ainsi que les commentaires gratuits et quelquefois désobligeants de certains parents envieux ou carrément méchants. Bernier est entré dans le monde des adultes bien avant tout le monde.

À dix-neuf ans, il se comporte déjà comme un authentique professionnel. Son éthique de travail et sa discipline se veulent exemplaires et malgré son talent démesuré, jour après jour, il est toujours celui qui se défonce le plus à l'ouvrage, et jamais il n'ose se permettre de déroger du plan de match de l'entraîneur. Que ça lui plaise ou non, le capitaine suit les directives sans penser à remettre en cause l'autorité. Leader incontesté de l'Océanic, il prêche par l'exemple et fait toujours passer les intérêts de l'équipe en premier lieu. Presque chaque jour, il est le premier à sauter sur la patinoire et le dernier à quitter la salle de musculation. Ce n'est pas par hasard si les Oilers d'Edmonton en ont fait leur choix de première ronde lors de l'avant-dernier repêchage de la Ligue nationale. Par ses agissements et ses performances sur la patinoire, Bernier inspire tous ses coéquipiers.

En deux saisons et demie avec les Huskies, Félix a côtoyé quelques excellents joueurs qui connaîtront possiblement des carrières intéressantes dans la LNH. Si Pavel Majetovsky, Dmitri Kovtawsky, Éric Boisvert, Marc-Olivier Laflamme, Milan Isner et Justin Bishop se sont révélés être de très bons modèles, Cédrick Bernier s'avère tout simplement une source d'inspiration.

Bien d'autres choses ont changé dans la vie de Félix depuis son arrivée à Rimouski. En pension chez Daniel Lévesque et son épouse Liette, l'atmosphère ne ressemble en rien à ce qu'il trouvait chez les Casault, depuis deux ans et demi. Tous deux dans la mi-trentaine, ils hébergeaient Grégory Bouvrette avant que ce dernier ne soit échangé aux Huskies, et Félix a tout simplement pris sa place dans la chambre du sous-sol. Comme le couple a deux enfants, deux garçons de huit et quatre ans, il y a passablement plus d'action chez les Lévesque.

Chaque matin, Hugo et son petit frère Charles descendent réveiller Félix en courant dès que leur mère donne le signal. Les repas se veulent beaucoup moins copieux que ceux préparés par Ginette Casault, mais l'ambiance chaleureuse dans cette famille compense amplement, surtout que Félix a toujours rêvé d'avoir un jeune frère… Maintenant, c'est comme s'il en avait deux!

Un peu timides la première semaine, les deux petits Lévesque n'ont pas perdu de temps pour s'enticher du nouveau pensionnaire. À leurs yeux d'enfants, Félix est tout simplement le meilleur hockeyeur de toute la planète, comme l'était Bouvrette lorsqu'il vivait sous le même toit qu'eux! Habituellement, lors des journées pédagogiques, Hugo, l'aîné, est gardé par ses grands-parents. Aujourd'hui, il a obtenu la permission exceptionnelle d'accompagner son idole et l'horaire sera chargé.

Contrairement à sa routine à Rouyn-Noranda, Richard Caisse tient toujours les entraînements en matinée. Les joueurs sautent sur la glace à neuf heures, passent ensuite du temps dans le gym avant de se rassembler dans la salle à manger où un traiteur leur sert un repas équilibré et riche en protéines. Après le lunch, la plupart se dirigent vers le cégep pendant que les autres demeurent à l'aréna où ils suivent des cours à distance sous la supervision d'un tuteur pédagogique.

Alors que Félix sue un coup sur la patinoire, le petit Hugo prend ses aises derrière le banc où il tient compagnie au gérant de l'équipement ainsi qu'au soigneur. Ce n'est pas la première fois qu'il a le privilège d'assister à l'entraînement de ses favoris, mais auparavant, il était toujours accompagné de son père. Et jamais Daniel Lévesque n'a pu amener son fils dans l'antre de l'Océanic, comme c'est le cas aujourd'hui. Mieux que ça, quand Richard Caisse sonne la fin de la séance, Hugo rejoint son idole sur la glace. Le jeune hockeyeur croyait patiner quelques minutes avec son ami mais à sa grande surprise, la moitié des joueurs demeurent sur la patinoire pour s'amuser avec lui et il marque même un but contre un vrai gardien de la LHJMQ. L'aîné des fils Lévesque flotte sur un nuage.

— Je vous l'avais dit qu'il y avait un champion dans ma famille de pension ! lance Félix en pointant le petit Hugo lorsque le groupe rentre dans le vestiaire.

— Oui, mais je ne pensais jamais que Hugo était aussi bon que ça, réplique Bernier le plus sérieusement du monde. Assis-toi ici. C'est ma place, d'habitude, mais je te la cède, car je te nomme capitaine de la journée. Tu es le capitaine de l'Océanic jusqu'à minuit, poursuit-il.

— Pour vrai? Pis qu'est-ce que je dois faire? demande l'enfant tout abasourdi.

— Si tu entends quelqu'un dire quelque chose de pas gentil, faut que tu lui dises d'arrêter. Faut pas que ça niaise, surtout dans le vestiaire, et c'est la job du capitaine, explique Bernier.

— Ça va être quand mon tour d'être capitaine d'un jour? demande Nicolas Chiasson en faisant la moue.

— Quand tu vas travailler aussi fort que notre ami Hugo, répond le vrai capitaine.

Pendant que le jeune invité regarde Chiasson en hochant la tête et en jetant un regard approbateur vers Bernier, Félix s'agenouille pour dénouer les patins du garçon. Le nouveau joueur de l'Océanic ne peut s'empêcher de sourire. Il pensait sincèrement que la vie était belle à Rouyn-Noranda, or, rien n'est comparable à l'atmosphère qu'il a découverte dans le Bas-du-Fleuve. Jamais de sa vie il ne s'est senti aussi bien dans un vestiaire.

— Toi, Félix, es-tu capitaine, des fois? interroge doucement le petit.

— Non. Ça, c'est la job à Cédrick, répond-il machinalement en retirant un premier patin.

— Alors, je te nomme capitaine de la journée avec moi jusqu'à minuit. J'ai le droit de faire ça, Cédrick ? questionne tout de même le garçon.

— Oui, le capitaine a le droit de faire des affaires comme ça. Mais c'est pas une bonne idée, Hugo. Garde ton titre de capitaine juste pour toi. D'après moi, Rippy va être le vrai capitaine, ici, la saison prochaine. Il aura le temps de se reprendre.

Maintenant occupé à retirer le ruban gommé sur les jambières de son jeune ami, Félix feint de n'avoir rien entendu. Pourtant, il vient peut-être de recevoir le plus beau compliment de sa carrière.

Si Félix se sent aussi bien, cinq semaines après son arrivée à Rimouski, ce n'est pas qu'une simple question de franche camaraderie et d'esprit d'équipe. Sur la patinoire, les résultats sont probants et c'est facile de garder le sourire quand tout baigne dans l'huile.

Sans surprise, après le retour de Bernier, Caisse l'a déplacé sur le deuxième trio. Dans les circonstances, il ne s'agissait aucunement d'une destitution et le temps de jeu de Félix n'a pratiquement pas été affecté par cette décision prévisible. L'équipe écrase la compétition tel un rouleau compresseur, et pendant que l'adversaire a besoin de tout son petit change pour surveiller le premier trio, celui de Félix s'impose offensivement. Depuis maintenant un mois, il fait la pluie et le beau temps avec les vétérans de dix-neuf ans, Jimmy Lemay et Étienne Lambert. Dès que l'entraîneur-chef a réuni les trois attaquants, une belle chimie s'est aussitôt créée entre eux.

Lemay, qui patrouille le flanc gauche, appartient aux Sénateurs d'Ottawa. Grand et élancé, ce n'est pas le genre de joueur réputé pour fournir un effort constant à toutes les rencontres. On pourrait d'ailleurs facilement le deviner simplement en observant sa gestuelle ! Les mains dans les poches, les épaules voûtées, il marche toujours très lentement en se traînant les pieds comme s'il allait à la potence. Doté d'un excellent sens du jeu et de mains très habiles, un soir, il a des allures d'Evgeni Malkin, et le lendemain, il devient pratiquement invisible sur la patinoire. C'est vraisemblablement pour cette raison qu'il n'a été repêché qu'en septième ronde malgré une récolte de 38 buts, il y a deux ans. Originaire de Trois-Pistoles, Lemay n'est pas le genre de type qui jase beaucoup. Souvent victime de l'ire de Richard Caisse, il hausse les épaules sans répliquer comme s'il était depuis longtemps immunisé contre les reproches et les commentaires provocateurs.

Patineur rapide et plein d'énergie, Lambert détonne complètement à côté de son coéquipier, autant dans la vie de tous les jours que sur la patinoire. Arborant fièrement de longs cheveux noirs très fins, le corps déjà parsemé d'une douzaine de tatouages, ce petit ailier droit de 5 pieds et 8 pouces passe énormément de temps dans la salle de musculation où il travaille principalement le haut de son corps. Dans le vestiaire de l'Océanic, on l'a affublé de plusieurs surnoms différents. Dès l'instant où il l'a rencontré, Richard Caisse l'a pour sa part baptisé Ozzy, ce qui est vite devenu son sobriquet le plus populaire… Et depuis qu'il a parlé de lui devant les journalistes en utilisant le nom du chanteur rock, les partisans ont tout de suite commencé à l'appeler ainsi. Drôle et volubile, Lambert en mène large, et c'est pareil sur la glace où il parle constamment, cherchant inlassablement à déranger l'adversaire.

Depuis un mois, Félix se trouve donc au milieu de ces deux drôles de moineau. Sceptique au départ, une fois sur la patinoire, il a vite deviné qu'il s'entendrait extrêmement bien avec eux et que leur style de jeu compléterait le sien à merveille. Et, comble de bonheur, depuis qu'il joue au centre d'un grand flanc mou et d'un petit rebelle, Richard Caisse semble avoir oublié son existence puisqu'il passe le plus clair de son temps à invectiver Lemay et Lambert. Décidément, la vie est belle à Rimouski !

L'aventure a également plutôt bien tourné pour Loïc Penosway. Utilisé en alternance au sein des troisième et quatrième trios, il est, lui aussi, devenu un rouage important de sa nouvelle formation. Le jeune Algonquin connaît son rôle et il l'accepte. Son entraîneur ne lui demande pas de remplir le filet adverse et il en est conscient. Caisse désire qu'il se concentre surtout sur son jeu défensif, mais il veut aussi le voir patiner, lancer et frapper. Ce sont en fait les mêmes directives que l'an passé, mais il est beaucoup plus rapide que la saison dernière et, par conséquent, il est plus facile pour lui de bien synchroniser ses mises en échec. Quand il saute sur la glace, l'adversaire a intérêt à patiner la tête haute.

Fin stratège et également grand analyste de la nature humaine, Caisse s'est efforcé de rapidement le placer dans une situation valorisante afin qu'il retrouve cette confiance qu'il avait perdue sous le règne de Russell Toussaint, à Rouyn-Noranda. Il sait aussi qu'en agissant de la sorte, il s'assure de la loyauté de Penosway, comptant qu'il se donnera corps et âme pour celui qui lui a donné une deuxième chance, alors que plus personne ne croyait en lui.

13

Prêts pour les séries

Avec un peu moins d'un mois à écouler au calendrier régulier, l'Océanic vient de se hisser au premier rang du classement général de la LHJMQ grâce une remarquable séquence de neuf triomphes. Malgré toutes les parties qu'il a ratées en début de saison, alors que son aventure se prolongeait au camp d'entraînement des Oilers, et les autres rencontres qu'il a manquées tandis qu'il représentait le Canada aux Championnats du monde junior en Suède, Bernier bataille pour le titre de champion marqueur du circuit. Pour sa part, Félix vient de surpasser son total de points de la saison précédente et il reste encore une douzaine de matchs à disputer avant le début des séries éliminatoires. Chaque jour qui passe, il remercie le ciel d'avoir été envoyé à Rimouski.

Ses récentes performances ont eu écho jusqu'en Californie, où la direction des Kings se réjouit également de cette transaction. Selon ce que son agent lui a raconté, le directeur général des Kings, Willy Phillips, serait même sur le point de leur soumettre une offre de contrat. Christian Champagne a carrément refusé de parler de chiffres pour l'instant, mais Félix a tâté le pouls autour de lui et il connaît les détails de plusieurs ententes paraphées par d'autres joueurs de la ligue au cours de la dernière année. En théorie, un contrat initial d'une durée standard de trois ans pourrait lui rapporter 700 000 dollars la première année avec une augmentation de 100 000 dollars à chacune des deux saisons suivantes s'il joue dans la Ligue nationale, une fois chez les pros… Sans parler de l'alléchant boni de signature.

— Tu ferais quoi avec tout cet argent ? demande Carl à l'autre bout du fil.

— Champagne m'a dit qu'on placerait presque tout, répond Félix sans enthousiasme. Comme ça, si jamais il arrive un pépin, j'aurai assez d'argent pour étudier et me trouver un vrai travail après le hockey. De toute façon, le seul *cash* que j'aurai, c'est celui du boni de signature, et une fois l'impôt passé, il va m'en rester seulement la moitié.

— Tu devrais au moins changer ton auto !

— Ça, Champagne est d'accord, même s'il n'a jamais embarqué avec moi, répond Félix en riant.

— Sérieux, *man*, tu devrais t'acheter la nouvelle BMW, elle est écœurante. La petite Audi aussi est magnifique… ou un beau gros quatre par quatre pour l'hiver.

— Champagne veut pas.

— C'est pas de ses affaires, ça, Félix. T'achètes la voiture qui te tente, tranche Carl.

— Y a des clubs qui n'aiment pas ça, paraît. Il m'a dit qu'au New Jersey, par exemple, le directeur général laisse faire les joueurs repêchés qui sont sous contrat et que dès qu'il y en a un qui s'achète une voiture de luxe, il lui téléphone pour lui dire qu'il ne veut jamais le voir se promener avec ça tant qu'il sera encore dans les rangs junior ! Champagne dit que ça insulte aussi les partisans de voir des *kids* conduire des autos qui valent très cher alors qu'eux doivent travailler fort pour se payer des billets pour venir voir nos *games*.

— Ça paraît que c'est pas Champagne, l'agent du gros Loiselle !

— Quand il a signé son contrat avec les Sénateurs, il a reçu un boni de 225 000 piastres, répond Félix.

— En plus, y a même pas besoin d'argent. Son père est riche comme Jobs.

— Qu'est-ce que tu dis là ? On dit riche comme Crésus et pauvre comme Job. Tu devrais savoir ça, c'est toi l'artiste pas moi ! rigole Félix.

— Je parlais de Steve Jobs, pas des histoires plates de la Bible !

— Méchant bon gag ! Quand t'es obligé de l'expliquer, c'est mauvais signe, mon Carl. Pis, Cynthia ? Qu'est-ce qui se passe avec elle ? demande Félix, changeant de sujet.

— Je pensais que je te l'avais raconté. T'as pas vu son statut Facebook, la semaine passée ? Elle est rendue à Manille, aux Philippines, et elle rentre dans un mois, à temps pour reprendre sa job à la quincaillerie quand le département d'horticulture va rouvrir. On s'est parlé par Skype et je l'ai avertie qu'on irait à Québec pour te voir à la Coupe Memorial au mois de mai ! Arrange-toi pour que ça marche.

— Yeah ! C'est encore très loin, la Coupe Memorial, mais si on se rend là et que j'ai signé mon contrat avec les Kings, je te jure que ta chambre d'hôtel va être sur mon bras… Et je te paierai peut-être même un tour de calèche dans le Vieux pour aider ta cause auprès de la belle Cynthia !

Quatre jours plus tard, Carl est assis dans les gradins du centre Marcel-Dionne de Drummondville, quand il voit son meilleur ami s'éclater lorsque l'Océanic pulvérise les pauvres Voltigeurs 8 à 2. Après avoir préparé deux buts de Jimmy Lemay au premier engagement, Félix orchestre savamment un jeu en avantage numérique lors de la période médiane alors qu'il est utilisé à la pointe, puis il amasse une quatrième mention d'aide en fin de match quand il préfère remettre à Étienne Lambert plutôt que de tirer lui-même dans une cage presque abandonnée. Il récolte quatre points dans une partie pour la première fois depuis son premier match à Rimouski, à la fin de décembre, et cette production lui vaut le titre de première étoile de la rencontre.

Dans l'uniforme de l'Océanic, Félix a maintenant récolté 7 buts et 22 passes pour un impressionnant total de 29 points en 14 parties seulement. Depuis qu'il s'est joint à la troupe de Richard Caisse, il maintient une cadence qui se compare avantageusement à celle de son coéquipier Cédrick Bernier.

Depuis la pause de Noël, trois formations sortent du lot dans la LHJMQ. Bien sûr, l'Océanic vient en tête de liste, et après le premier week-end de mars, à une semaine de la fin de la saison régulière, l'équipe du Bas-du-Fleuve est déjà assurée de conclure le calendrier au premier rang du classement général. Pas très loin derrière, Québec et Moncton se livrent une lutte de tous les instants pour l'obtention du deuxième échelon. Au cours du dernier mois, les Remparts et les Wildcats n'ont encaissé qu'un seul revers chacun.

Avec la disparité qui règne dans le circuit, la première ronde des séries éliminatoires se transformera en carnage pour quelques clubs. À Rimouski, les attentes sont énormes. L'Océanic n'a besoin de récolter qu'un seul petit point lors des deux parties à l'horaire ce week-end pour connaître une récolte supérieure à 100 points pour la deuxième fois seulement de son histoire. Richard Caisse, qui n'a jamais caché entretenir de plus grandes ambitions, ne se gêne aucunement pour accorder deux jours de repos à plusieurs vétérans lors de la dernière fin de semaine d'activité. Contre son gré, Félix se trouve rayé de la formation pour les affrontements du vendredi soir et du dimanche après-midi. Le fougueux attaquant aurait surtout souhaité prendre part au premier duel du week-end pour la visite des Huskies au Colisée, surtout qu'il s'agira de la première joute entre les deux équipes depuis la transaction qui l'a chassé de l'Abitibi.

Si l'entraîneur-chef préfère ménager, et fondamentalement protéger son numéro 57, il n'hésite toutefois pas à utiliser Loïc Penosway à outrance contre son ancienne équipe. Employé aux côtés d'Étienne Lambert et de Charles-Benoît Giguère, le jeune Algonquin patine avec hargne et s'implique physiquement dès qu'une opportunité s'offre à lui. Comme il dispute une excellente rencontre, Caisse le récompense en début de troisième période alors qu'il l'envoie dans la mêlée au cours d'une supériorité numérique. Stationné devant le filet de Francis Ouellette, Penosway attrape une rondelle libre dans l'enclave et la pousse derrière son ancien coéquipier pour enfiler son troisième but avec l'Océanic.

— À la prochaine présence, tu devrais te gâter, Peno, lui lance Lambert en revenant au banc. T'as un but et une passe, faut que tu jettes les gants pour avoir un tour du chapeau à la Gordie Howe ! T'as pas le choix, *man* !

— Arrête, Lambert. J'aime pas ça me battre, répond le gros Amérindien. Je m'en fous de Gordie Howe.

— Dis pas de conneries, Peno. Je pèse 60 livres de moins que toi et j'ai neuf combats cette année. Ça fait pas mal, un coup de poing sur la gueule, renchérit son compagnon de trio. Pogne n'importe qui mais laisse tomber les mitaines. T'es gros comme un frigidaire à bières. Y a personne qui va te faire mal.

Involontairement, Caisse met court à cette discussion en tapant dans le dos de Penosway, Lambert et Giguère. Quand il saute sur la patinoire, le petit agitateur se dirige directement vers Loiselle, même si ce dernier n'a pas la rondelle.

— Asteure qu'on mène par trois buts, patine la tête haute, Loiselle, parce que l'Indien a promis de t'en crisser toute une. J'ai hâte de voir ça en plus !

Riopel nous a dit que t'étais un jaune, pis je me demande s'il a raison! crie-t-il avant de déguerpir en repli dans son territoire.

— Qu'est-ce que t'as dit, le morveux? demande le défenseur des Huskies qui a parfaitement tout entendu.

Quoique sceptique, Loiselle fronce les sourcils et dévisage néanmoins Penosway qui vient à son tour de sauter dans le feu de l'action. Jamais il ne l'a vu engager un combat, mais vaut mieux demeurer sur ses gardes devant pareil colosse.

— C'est un maudit beau mongol, ça, Loiselle! commente Lambert en revenant au banc tout essoufflé.

— Pourquoi tu dis ça? demande Giguère.

— Il vient de me dire qu'une chance que Rippy a amené Loïc ici avec lui, sinon il serait encore dans sa réserve en train de faire de la raquette, explique Lambert. L'as-tu entendu, Peno, quand il m'a dit ça? C'est vraiment pas correct de dire des affaires de même. J'étais en fin de *shift* mais quand on va rembarquer sur la patinoire, je vais aller lui fermer la gueule, moi, au fendant à Loiselle. Y a personne qui a le droit de dénigrer mes coéquipiers comme ça.

Deux changements de trio plus tard, Lambert recommence son manège et passe à la deuxième phase de son plan diabolique. Alors que l'action se déroule devant le filet des Huskies, il place subtilement son bâton entre les jambes de Loiselle et il le remonte d'un coup sec. Furieux, le gros défenseur le projette au sol et, comme il s'avance vers lui, Penosway l'agrippe par l'épaule.

— Loiselle, vas-tu la fermer ta grande gueule sale ? lance le gros ailier de l'Océanic en poussant brusquement son rival.

Plus expérimenté, l'arrière des Huskies sait qu'il doit réagir le premier et avant que son opposant n'ajoute quoi que ce soit, il lui décoche une solide droite au menton puis saisit tout de suite son épaule avec l'autre main en tentant de l'atteindre de nouveau. Penosway n'a pas le temps de se défendre qu'il essuie un autre percutant crochet au visage. Un des durs à cuire les plus craints de la ligue, Loiselle parvient ensuite à tirer sur le chandail de son vis-à-vis pour essayer de le remonter par-dessus sa tête. Quoique nerveux, l'attaquant de l'Océanic réussit cependant à se libérer de cette emprise et porte un premier coup de poing à son adversaire. Les deux joueurs s'échangent quelques taloches sous les cris d'une foule en délire et les juges de ligne interviennent rapidement pour séparer les belligérants.

Le visage en sang, Penosway claque la porte du banc des punitions sous les cris des bruyants partisans de l'Océanic qui jubilent pendant que Lambert ramasse son casque ainsi que ses gants, et que Giguère récupère son bâton. Jamais auparavant on ne l'a acclamé de la sorte. Quand la clameur faiblit,

Loïc s'assoit et réalise qu'il tremble de tout son corps. Transporté par l'adrénaline, il a quand même eu la frousse et c'est possiblement cette peur de se faire infliger une raclée qui lui a permis de survivre à ce baptême au bout du poing.

— *Good job*, Ozzy ! Je te l'avais dit que ça marcherait, mon idée, murmure Caisse à l'oreille de celui qui a mis le feu aux poudres. Y avait juste toi qui pouvait s'arranger pour que ça fonctionne, ajoute-t-il en souriant. Maintenant que Penosway a pogné le gros Loiselle et que la foule a trippé, j'ai comme l'impression qu'on va pouvoir miser sur un nouveau *tough* à Rimouski pour les séries !

Assis dans les gradins en compagnie de Bernier, Félix n'en croit pas ses yeux.

— Y a pas tellement eu le choix, rétorque Félix. Loiselle s'est mis à le frapper comme un malade et il s'est défendu. Reste que c'est quand même pas dans sa nature. Je te l'ai déjà dit, Penosway c'est un gros nounours.

— Un grizzli, tu veux dire !

Une semaine plus tard, les séries éliminatoires s'amorcent dans la LHJMQ. Monarque incontesté de la deuxième moitié de la saison et gagnant du Trophée Jean-Rougeau en vertu de sa première position au classement général, l'Océanic affronte les

Tigres de Victoriaville en première ronde. Beaucoup trop puissants pour la formation des Bois-Francs, les hommes de Richard Caisse ne font qu'une bouchée de leurs rivaux qu'ils balaient en quatre parties, à la suite de gains décisifs de 6 à 1, 4 à 0, 5 à 1 et 9 à 2. Lors de ces quatre affrontements, Félix récolte 2 des 24 buts inscrits par son équipe en plus de se faire complice de 6 autres filets.

> **FélixRiopel** @Rippy57
>
> Premier pas de fait pour les Nics. #4W
> #Need12Now #Nics

Après avoir navigué en eaux calmes en première ronde, face à des Tigres édentés et dégriffés, l'Océanic croise le fer avec l'Armada de Blainville-Boisbriand au deuxième tour. L'opposition s'avère meilleure, mais le défi se veut beaucoup trop grand pour la formation des Basses-Laurentides. Rimouski poursuit sa nette domination et pulvérise encore l'adversaire en l'éliminant dans le minimum de matchs requis grâce à des gains de 3 à 0, 4 à 2, 5 à 4 en deuxième période de prolongation et 4 à 1. Malgré les 16 buts enregistrés par son club, Félix est impuissant à trouver le fond du filet, mais il amasse néanmoins 5 mentions d'aide pour porter son total à 13 points en 8 parties depuis le début des séries éliminatoires.

FélixRiopel @Rippy57
Arrivé à mi-chemin. #8W #Need8now #Nics

Comme l'avaient prédit la grande majorité des experts, c'est donc sans surprise que Rimouski, Québec, Baie-Comeau et Moncton accèdent aux demi-finales. Si l'Océanic part largement favori contre le Drakkar, on s'attend à une véritable guerre de tranchées entre les Remparts et les Wildcats.

Toutefois, à l'étonnement général, l'Océanic s'incline devant ses partisans lors du premier duel de la série. Menés par leur jeune gardien de dix-sept ans, Jérôme Paquin, les visiteurs viennent surprendre leurs grands rivaux 4 à 2 au Colisée de Rimouski. Victime des circonstances en raison du jeu nonchalant de Jimmy Lemay et de l'indiscipline d'Étienne Lambert qui a écopé de deux mauvaises punitions, Félix ne voit que très peu d'action dans cette rencontre.

Les joueurs du Drakkar n'ont pas le temps de savourer ce premier gain ni de s'asseoir sur leurs lauriers puisque le deuxième affrontement est présenté dès le lendemain. À Rimouski, personne ne s'attendait à ce que l'Océanic accède à la finale du circuit sans trébucher quelquefois en cours de route, et le moral des troupes ainsi que la confiance des partisans ne sont nullement affectés par ce revers.

Toujours furieux du comportement de son petit agitateur, Richard Caisse a l'intention de muter Loïc Penosway sur le deuxième trio. Félix a déjà joué quelques rencontres avec lui, l'an passé à Rouyn-Noranda, et le duo s'était bien tiré d'affaire. La principale préoccupation de l'entraîneur-chef tourne plutôt autour de Jimmy Lemay, qui se la coule douce trop souvent depuis le début des séries éliminatoires. Si Lambert n'avait pas coûté deux buts à la suite de ses infractions stupides de la veille, c'est lui qui aurait écopé. En raison de son talent, Caisse se montre très patient, car Lambert peut parfois changer l'allure d'un match à lui seul.

— On n'a pas le choix de rebondir à soir, lance Caisse en entrant dans le vestiaire après la période d'échauffement. Si on l'échappe, on s'en va à Baie-Comeau avec deux défaites, pis là, on va être dans le trouble. Vous avez tous joué un mauvais match hier. On n'a pas été intelligents contre le Drakkar. Savez-vous quoi ? demande l'entraîneur sans attendre de réponse. Hier, vous m'avez fait penser à mon beau-frère. C'est un maudit bon gars, il travaille fort et il s'occupe bien de sa famille, mais des fois il réfléchit pas, on dirait, pis à ce moment-là, il fait des drôles de niaiseries. C'est le genre de gars qui peut faire cuire ses pains à hot-dog avant de mettre les saucisses sur le *charcoal*! C'est pas grave, mais faut être tata pour faire ça. Hier, vous avez fait cuire les pains en premier parce que vous n'avez pas respecté le plan de match. Y a personne qui étudie les molécules, ici? C'est pas compliqué, notre système de jeu. Est-ce qu'y a quelqu'un qui ne le comprend pas?

Évidemment, personne ne répond... Patient, Caisse marche lentement d'un bout à l'autre du vestiaire en regardant ses joueurs. Félix, qui l'a déjà vu exploser à quelques reprises avec les Huskies, attend nerveusement la fin de son laïus, espérant presque une crise!

— Quand tu veux des hot-dogs, c'est facile, enchaîne calmement Caisse sous le regard incrédule de Félix qui se demande encore ce qui motive soudainement cette étrange fixation. Tu fais cuire des saucisses, après ça le pain pis ensuite, tu mets du ketchup pis de la relish, poursuit l'entraîneur. Un enfant peut faire ça. Mais l'été passé, mon beau-frère a scrappé notre lunch en mettant le pain en premier. C'était pas mangeable pis j'étais pas de bonne humeur parce que j'avais faim pis que ça prend un méchant raisin pour faire ça. Hier, vous avez scrappé le lunch en jouant comme des raisins. Baie-Comeau a pas gagné hier. On a perdu la *game* nous-mêmes parce qu'on a oublié de réfléchir et d'exécuter un plan de match simple et efficace. On est-tu capable de revenir fort ce soir?

— *Let's go, gang!* On va faire des hot-dogs tout garnis à soir! crie Bernier en se levant, le sourire fendu jusqu'aux oreilles. *Come on, boys!* On s'en va bouffer le Drakkar!

Un peu plus de trois heures plus tard, les chances sont nivelées dans la série à la suite d'un gain sans équivoque de l'Océanic au compte de 5 à 0. Méthodiques et disciplinés, les hommes de Richard Caisse n'ont alloué qu'un maigre total de 12 tirs au but aux visiteurs, alors que Penosway a profité de sa promotion sur le deuxième trio pour enfin enfiler son premier filet des séries.

En rentrant chez lui après la partie, Richard Caisse repense à son discours farfelu. Il y a quelques années, il aurait pété les plombs pour secouer sa troupe. Aujourd'hui, cette banale petite dose d'humour a suffi pour expliquer à ses joueurs que ce n'est pas la fin du monde de perdre un match. Et sa prochaine colère aura encore plus d'impact.

FélixRiopel @Rippy57

Grosse victoire devant nos partisans! De retour ds la série. #ProudOfTheBoys #9W #Need7now #Nics #IneedAhotdog

À la suite de la performance irréprochable de sa formation, Caisse n'ose pas modifier la composition de ses trios lorsque la série se transporte à Baie-Comeau. Gonflé à bloc par ses bruyants partisans entassés dans le Centre Henry-Léonard, le Drakkar ouvre la marque dès la deuxième minute de jeu quand Jimmy Lemay joue avec mollesse en entrée de zone, ce qui provoque un revirement fatal et l'ire de l'entraîneur-chef.

Piaffant d'impatience sur le banc, Lambert est conscient qu'il pourrait reprendre sa place sur la deuxième unité s'il parvient à faire écarquiller les yeux du coach. Lorsqu'il enjambe la rampe pour sauter sur la patinoire, le fougueux attaquant a l'intention d'allumer une étincelle. Se préoccupant à peine de la rondelle, il frappe tout ce qui bouge. À l'arrêt de jeu, il continue de narguer tous ses rivaux et rentre au banc sous les huées de la foule qui a appris à le détester depuis deux ans. Quand il s'assoit, il reçoit deux solides tapes sur l'épaule droite de la part de Caisse. Pas besoin de mots. Pas besoin non plus de se retourner pour le regarder. Il sait que ça veut dire « Beau travail, Étienne », et, pour lui, c'est la plus belle des récompenses. Or, l'entraîneur de l'Océanic ne change pas ses combinaisons de trios. Lambert continue néanmoins de distribuer des coups d'épaule et de jouer avec hargne et combativité, comme c'est son habitude de toute façon.

Opposé à Terence Black et William Grondin, qui forment probablement le meilleur duo de défenseurs de la LHJMQ, le trio de Bernier éprouve de la difficulté à trouver les brèches dans le système étanche de l'ennemi. Toutefois, Caisse s'ajuste au début du second tiers et il commence même à utiliser le trio de Félix plus souvent que celui de Bernier. Au milieu de l'engagement, sa stratégie rapporte des dividendes quand Lemay rachète son erreur de début de match en effectuant une montée à l'emporte-pièce qui permet à Penosway de capitaliser en logeant son retour de lancer dans le fond du filet pour créer l'égalité.

Tôt en troisième période, Rimouski profite d'un avantage numérique lorsque Félix complète une belle pièce de jeu, intelligemment préparée par le défenseur Nicolas Chiasson, pour enfiler son premier but dans cette série et ainsi procurer les devants à son équipe. Même si on le surveille étroitement et qu'on lui accorde une attention particulière, il demeure pratiquement impossible de museler Bernier bien longtemps. À mi-chemin du troisième tiers, la vedette de l'Océanic se démarque à la droite du filet et touche la cible avec un tir sur réception grâce à une superbe passe du défenseur Simon Bérubé. En fin de rencontre, Lambert complète le pointage en lançant la rondelle dans un filet désert, et les visiteurs l'emportent 4 à 1 pour prendre les devants dans la série.

FélixRiopel @Rippy57

Victoire d'équipe à Baie-Comeau #BackOnTrack #10W #Need6now #Nics

Deux jours plus tard, la défensive du Drakkar s'écroule alors que les gens rassemblés au Centre Henry-Léonard assistent, impuissants, au spectacle donné par Cédrick Bernier. L'espoir des Oilers d'Edmonton torpille l'adversaire avec une performance digne des plus grands alors qu'il amasse cinq buts et une passe dans un gain de 9 à 1. Baie-Comeau fera face à l'élimination dans deux jours.

> **FélixRiopel** @Rippy57
>
> À un gain de la finale grâce @BigBern55 qui a volé le show! #GreatTeamate #11W #Need5now #Nics

L'action se déplace au sud du Saint-Laurent pour le cinquième match de la demi-finale. Si l'Océanic se trouve à un seul triomphe de passer au dernier tour, c'est beaucoup plus serré dans l'autre série, alors que les Wildcats et les Remparts sont à égalité avec deux victoires de chaque côté. Pendant que Moncton et Québec s'entre-déchirent, les représentants de Rimouski poursuivent leur domination en disposant de Baie-Comeau 5 à 3 pour accéder à la finale de la LHJMQ. Devant son meilleur ami Carl, Félix est nommé la première étoile de cette rencontre grâce à une production de deux buts et une passe.

14

Une deuxième chance en trois ans

Agenouillé sur la patinoire, Félix reprend son souffle. Le cœur au bord des lèvres, il ravale une désagréable gorgée de bile au goût aigre qu'il aurait préféré cracher. Trop orgueilleux pour imiter la plupart de ses coéquipiers, il aime mieux torturer ses papilles gustatives et endurer ce relent répugnant plutôt que de vomir au centre de la glace. Encore haletant, il regarde autour de lui. La moitié des joueurs de l'Océanic sont couchés sur le dos, comme des enfants qui s'amusent à faire des anges dans la neige… à la différence qu'ils sont immobiles. On pourrait penser qu'une bombe a explosé en voyant cette vingtaine de jeunes hockeyeurs inertes. La sueur qui se dégage des corps bouillants, et qui passe au travers des chandails et des casques, crée une vague impression de scène surnaturelle.

Ayant souvenir de Penosway se régurgitant des-sus sous la torture de Richard Caisse lors de son premier camp d'entraînement à Rouyn-Noranda, Félix se tourne vers son ami. À quatre pattes, la tête penchée vers le sol, hors d'haleine, le jeune Amérindien a tenu le coup cette fois.

— C'est un malade, chuchote Giguère aux quelques joueurs accroupis à proximité.

— Non, répond Félix en essayant encore de reprendre son souffle.

— Rippy a raison, ajoute Bernier. Que j'entende pas personne chialer.

Jamais les journalistes affectés à la couverture de l'Océanic n'avaient auparavant été témoins d'un entraînement punitif semblable. Après une séance d'entraînement exigeante de plus d'une heure, Caisse a gardé ses troupiers sur la patinoire pour les soumettre à un exercice intense de patinage qui a duré près de vingt minutes.

— Est-ce qu'on peut savoir ce qui s'est passé? Est-ce qu'il y a des gars qui ont fait des bêtises en dehors de la patinoire? demande le vétéran journaliste Harold Arsenault.

— Pas du tout, répond sèchement l'entraîneur-chef de l'Océanic.

— Alors pourquoi un entraînement punitif? insiste-t-il en regardant Caisse avec scepticisme.

— Ça a peut-être l'air de ça, mais c'était pas un entraînement punitif. C'est la dernière chose que mes gars mériteraient. Sauf qu'on a eu la vie facile pendant les trois premières rondes. Douze victoires et une seule défaite… c'est pas pire! Sans manquer de respect à nos adversaires, on n'a pas souffert contre les Tigres, l'Armada et le Drakkar, explique Caisse sous le regard dubitatif de tous les journalistes. C'est dommage pour eux, mais je voulais que mes joueurs se rappellent c'est quoi souffrir, parce qu'on va devoir payer le prix et accepter de souffrir si on veut battre Moncton et aller à la Coupe Memorial. Aujourd'hui, c'était seulement le début de la souffrance, plus on va avancer et plus il leur faudra endurer pour gagner. Aller jusqu'au bout, c'est un supplice et c'est important que chaque joueur soit prêt pour ça.

— Pis les joueurs sont d'accord avec ça et ils ont compris que c'était pour leur bien? demande Bill Vincent qui ne semble pas adhérer à cette théorie.

— L'important, ce n'est pas qu'ils soient d'accord. L'important, c'est qu'ils soient le mieux préparés possible, explique Caisse en dévisageant son interlocuteur avec un regard condescendant. On fait tous des affaires qui ne nous tentent pas dans nos jobs. J'aurais aimé mieux les amener au cinéma aujourd'hui, pis leur payer une crème glacée. Je ne suis ni un tortionnaire ni un malade mental, ajoute-il en marquant une légère pause. J'avais pas envie de les pousser autant que ça. Mais je sais que c'était la bonne chose à faire avant d'affronter les Wildcats dans deux jours.

Comme il s'y attendait, Caisse s'attire quelques articles peu élogieux pour cet entraînement exténuant. Vincent, qui en a vu d'autres depuis le temps qu'il couvre la ligue, va même jusqu'à le traiter de bourreau sadique aux stratégies dépassées. Quoi qu'il en soit, quarante-huit heures plus tard, l'Océanic a besoin de trois périodes de prolongation pour venir à bout de son opposant. Plutôt silencieux depuis le début des séries, le défenseur finlandais Pasi Tuominen tranche le débat en décochant un tir des poignets précis qui se fraie un chemin à travers la circulation pour venir terminer sa course dans le fond du filet adverse.

> **FélixRiopel** @Rippy57
>
> Good start tonight. Pas facile. #3eOT #13W #Need3now #Nics

Blessé à la cheville gauche après avoir bloqué un tir lors du premier duel face aux Wildcats, Étienne Lambert doit malheureusement déclarer forfait pour le second affrontement de la finale, ce qui donne de nouveau la chance à Penosway de jouer en compagnie de Jimmy Lemay et Félix.

Avec une égalité de 2 à 2 et moins de quatre minutes à écouler au troisième engagement, tout indique que les deux clubs devront encore se rendre en période de prolongation pour faire un maître quand Félix intercepte une passe dans son territoire et descend à 3 contre 1 en compagnie de ses deux ailiers. Il feinte la passe vers Lemay qui se dirige vers le filet en trombe, puis remet derrière à Penosway qui s'amène en retrait. L'Algonquin, qui se préparait à décocher un tir, change d'idée à la dernière seconde. Il ramène la rondelle vers lui, bifurque vers sa droite et à l'instant où il relève la tête, il entre en collision avec Jasmin Gagnon qu'il n'a pas vu arriver. Le défenseur des Wildcats s'empare du disque et passe à Alberto Romano, campé à la ligne bleue de l'Océanic. Le petit attaquant italien s'échappe et fait mouche. C'est le but de la victoire et mission accomplie pour Moncton qui retourne à la maison en ayant pu gagner un match dans le Bas-du-Fleuve.

Le lendemain midi, après un léger entraînement surtout axé sur le travail en avantage numérique, l'Océanic quitte Rimouski en autobus pour se rendre dans les Maritimes. Une longue balade de plus de six heures jusqu'à Moncton, mais le troisième match de la finale n'aura lieu que le surlendemain. Seul sur sa banquette à l'arrière, Félix admire le somptueux paysage de la vallée de la Matapédia. Pour passer le temps, il échange des textos avec Carl ainsi qu'avec ses anciens coéquipiers et amis Patrick Fréchette, Adam Bourbonnière et Francis Ouellet. Il s'amuse aussi à se prendre en photo en grimaçant afin d'envoyer des Snapchat à sa sœur Véronique. Soudain, il grimace réellement. Il sent son cœur battre la chamade tellement la nervosité le gagne brusquement en voyant le nom qui s'affiche sur son iPhone. C'est Willy Phillips, le directeur général des Kings. Il ne l'a jamais contacté auparavant et ce surprenant message texte lui annonce peut-être qu'il y a des progrès en ce qui concerne le contrat dont Christian Champagne lui a parlé, il y a quelques semaines.

> Good luck kid. We keep an eye on u. Marty Dion told me u r doing a great job. Keep going. I'll be in Quebec City for the Memorial Cup. Hope to see u there.

Le patron des Kings lui écrit personnellement pour lui signaler qu'il garde un œil sur lui et que les rapports de Martin Dion sont positifs. C'est une excellente nouvelle, mais ce n'est pas celle qu'il attendait. De toute façon, il se dit que c'est mieux ainsi, car pour le moment, il est impératif qu'il garde toute sa concentration sur le hockey!

Phillips aurait peut-être dû attendre un peu avant d'acheminer ce mot d'encouragement à son jeune espoir. Le vendredi soir, lors du match suivant, rien ne roule pour Félix qui connaît une de ses rares mauvaises parties depuis Noël. Toujours au centre de Lemay et Penosway, il termine la soirée avec un différentiel de -2 dans un revers de 3 à 1 et les Wildcats prennent les commandes de la série finale.

Habituellement toujours présent dans le vestiaire pour faire face à la musique, cette fois, l'attaquant originaire de Louiseville se précipite sous la douche avant l'arrivée des journalistes et il se réfugie ensuite dans la salle du physiothérapeute d'où il ne ressort que trente minutes plus tard, quand tout le monde a quitté les lieux. Frustré et fâché contre lui-même, il n'a pas le goût de voir qui que ce soit ni de jaser avec personne. L'hôtel étant à moins d'un kilomètre, il va rentrer seul, le temps de décompresser en marchant.

Comme il s'apprête à quitter le Colisée de Moncton, on l'interpelle dans le corridor. C'est Étienne Lambert qui, lui, était réellement en traitement avec le physiothérapeute. Encore sur la touche en raison de sa blessure, il devrait par contre être en mesure de disputer la prochaine rencontre.

Sous une pluie très fine, les deux coéquipiers marchent vers l'hôtel de l'équipe sans échanger un seul mot. Dégoûté par sa propre performance, Félix rumine et revoit son match, jeu par jeu. Exaspéré de ne pouvoir apporter sa contribution, Lambert imagine qu'il aurait pu faire une différence s'il avait affronté les Wildcats.

— Ça te tente-tu d'arrêter ici deux minutes? demande Félix en pointant un petit restaurant thaï de l'autre côté de la rue. J'ai pas mangé après la *game*, pis je pognerais quelque chose pour apporter à l'hôtel.

— J'ai pas faim, mais ça ne me dérange pas. D'après moi, Rippy, c'est pas là que tu vas trouver de la grande gastronomie avant de te coucher, rigole Lambert.

Une fois à l'intérieur, l'odeur de gingembre, de coriandre, de cari et de citronnelle se mélange au parfum de l'ail, des arachides et du lait de coco pour créer un arôme qui ouvre drôlement l'appétit. Avec son enseigne mal éclairée, l'endroit ne s'annonçait pas très invitant, mais ce parfum exquis ne laisse présager que de bonnes choses, et même Étienne, qui n'avait pas faim, prend un repas pour emporter. D'ailleurs, voir six autres personnes attendre leur commande à 23 h 30 confirme aux deux joueurs de l'Océanic qu'on doit certainement servir une cuisine de qualité. Avec seulement deux tables dans l'établissement, ils devinent aussi tout de suite que la plupart des clients doivent les imiter et partir avec leur repas.

Un peu en retrait dans le coin, près des toilettes, les deux copains bavardent ensemble et commentent le menu en projetant de revenir le lendemain avec leurs coéquipiers.

— C'est santé, ç'a l'air bon, c'est pas cher pis c'est à trois minutes de l'hôtel, analyse Félix tout en jetant un coup d'œil sur le fil d'actualité de son compte Twitter.

— Regarde le moron qui vient d'arriver, interrompt Lambert. Ça fait deux minutes qu'il est dans la place, pis y a écœuré tout le monde dans la file…

Félix ferme son iPhone et constate qu'un client éméché parle fort et déplace beaucoup d'air. Trop concentré sur son téléphone, il n'avait pas remarqué ce type, dans le milieu de la vingtaine, accompagné de sa copine, visiblement mal à l'aise de le voir se comporter de la sorte.

— Es-tu capable de lire ce qui est écrit sur le *tatoo* qu'il a dans le cou? demande Félix à son compagnon de trio.

— Non, mais y a l'air d'un *tough*. Si ça te dérange pas, c'est pas moi qui vais aller lui demander, rétorque Lambert en riant.

Supposant que les deux jeunes hockeyeurs parlent de lui puisqu'ils le dévisagent depuis une trentaine de secondes, le nouveau client plisse les yeux, lève lentement son bras droit vers eux, ferme le poing et relève le majeur pour les narguer.

— *What?* lance Félix en se dirigeant instantanément vers l'homme. *Are you the king of the place? What's your problem, man?*

— *Sorry, dude, don't listen to my friend. He's drunk and I'm sorry. I'll take care of him*, plaide Lambert qui s'amène tout de suite à la rescousse alors que la copine du fier-à-bras tient le même genre de discours à son amoureux.

— À quoi t'as pensé, Rippy? On n'est pas chez nous, ce gars-là doit peser 230 livres, y a l'air gelé comme une binne, pis toi, tu vas lui demander si c'est le *king* de la place et c'est quoi son problème? T'es fou!

Fort heureusement, trente secondes plus tard, la vieille dame derrière le comptoir appelle leurs numéros. Le matamore continue de narguer tout le monde et comme ça risque de mal finir, il est préférable de partir le plus tôt possible.

— *Do you really believe we're all scared by you?* questionne Félix en passant devant le gars pour aller chercher sa commande.

Il n'en fallait pas plus. Le type serre son poing droit, allonge son bras vers l'arrière et le ramène de toutes ses forces en direction du visage de celui qui vient de le provoquer. Vif et allumé, Félix évite le coup de justesse, mais en ratant la cible, son opposant tombe sur lui et le projette au sol. Lambert se précipite sur lui et le saisit par les bras tout en l'empêchant de bouger du mieux qu'il peut avec ses jambes. Couché sous l'homme qui se démène tant bien que mal, Félix le frappe sans relâche dans le ventre et sur les flancs. Pendant ce temps, sa copine hystérique crie et engueule son amoureux de toutes ses forces, alors que la vieille Asiatique fait clignoter les lumières extérieures de son restaurant, espérant ainsi attirer l'attention des policiers s'ils venaient à passer dans le secteur.

Quand le gros fanfaron cesse de gesticuler, Lambert relâche sa prise et lui frappe solidement le crâne contre le plancher de céramique dès que Félix se libère. Les deux amis s'emparent de leur repas sur le comptoir et décampent sans regarder derrière eux.

— Bravo ! T'es vraiment intelligent, Rippy ! Aller lui demander s'il pense qu'il nous fait peur. Tu savais bien qu'il te sauterait dessus. On va être dans le trouble à cause de toi. Je me demande pourquoi je t'ai défendu, chuchote Lambert en grimaçant.

— Désolé. Ç'a sorti tout seul, se défend Félix en arrivant à l'hôtel. Comment est ta cheville, tu boites ?

— Je l'ai tordue pendant que je faisais une clé de bras au gars. On va voir demain. Va te coucher, là.

— Penses-tu qu'ils vont appeler la police ? interroge Félix.

— Je suis certain que non. Le gars est ben saoul pis sa blonde est pas tellement mieux... Les autres clients doivent être contents, et les Chinois du restaurant aussi.

— Ouin... C'est ça que je me disais. On parle pas de ça à personne.

— Es-tu malade? C'est sûr que demain je vais raconter ça à tous les gars, c'est trop drôle! "*Are you the king of the team?*", réplique Lambert pour se moquer de son coéquipier. Bonne nuit, *man*! ajoute-t-il en riant avant de tourner les talons vers sa chambre.

Le lendemain soir, Félix est extrêmement soulagé quand l'autobus de l'Océanic quitte enfin Moncton pour rentrer à Rimouski. Son équipe vient de vaincre les Wildcats 1 à 0, mais surtout, il n'a eu aucun écho de l'escarmouche de la veille au restaurant thaï. Jamais il n'a été aussi heureux de devoir se taper une randonnée de nuit comme celle qui l'attend pour rentrer à Rimouski.

De retour devant ses partisans, la formation du Bas-Saint-Laurent livre une performance impeccable lors du cinquième affrontement de la finale. La troupe de Richard Caisse blanchit l'adversaire pour un deuxième match consécutif alors que l'offensive génère trois buts (dont le dernier dans un filet désert) et le club se retrouve à un seul gain d'accéder à la Coupe Memorial.

Trois jours plus tard, à Moncton, l'Océanic enfonce le dernier clou dans le cercueil de ses rivaux. Après une dizaine de jours d'absence, Étienne Lambert souligne son retour au jeu en touchant la cible à deux reprises sur des jeux préparés par Félix. L'Océanic l'emporte 4 à 2 pour éliminer les Wildcats en six parties et ainsi remporter la Coupe du Président. Par conséquent, Rimouski aura l'honneur de représenter la LHJMQ au tournoi de la Coupe Memorial. Équipe favorite de la plupart des experts avant le début des séries éliminatoires, la troupe de Richard Caisse a connu un parcours presque parfait, ne trébuchant qu'en trois occasions seulement.

Quand le commissaire se présente au centre de la patinoire pour remettre le trophée à la formation gagnante, seul le capitaine Cédrick Bernier s'avance timidement. Le grand joueur de centre se penche vers l'avant, appuie une main sur la table sans oser toucher à la coupe et offre aux photographes un sourire gêné, presque forcé.

— Je suis fier de vous, les gars, vous avez triomphé dans l'humilité, et c'est ça qui me fait le plus grand plaisir parce qu'on n'a encore rien gagné aujourd'hui, explique Caisse à ses ouailles avant de permettre l'ouverture de la porte aux journalistes. La coupe du Président, c'est le fun, mais c'est juste ce qui nous permet de nous qualifier pour le tournoi qu'on visait au début de l'année. Aujourd'hui, on est là où on voulait être. On s'en va à la Coupe Memorial avec un bon momentum, c'est ça le plus important pour moi.

Une fois dans le vestiaire, les représentants de la presse se dépêchent de recueillir les commentaires du capitaine Cédrick Bernier qui, en pesant bien ses mots, raconte sereinement que, malgré la fierté qui habite le groupe, la coupe du Président n'est pas un aboutissement mais une étape de plus vers le but ultime. Quelques médias du Québec entourent aussi Lambert, le héros du match avec deux filets, dont celui de la victoire, marqué alors qu'il ne restait que trois minutes à écouler au dernier tiers.

— Je suis fier d'avoir contribué pour mon retour. J'étais très motivé, car c'était difficile de regarder jouer les gars du haut des estrades et j'avais hâte de pouvoir aider l'équipe, raconte l'attaquant avec humilité. Mais si j'ai marqué deux buts, c'est surtout grâce au brio de Félix Riopel, poursuit-il en haussant la voix. Rippy a fait deux jeux incroyables sur mes buts. Pour moi, y a aucun doute, Félix Riopel c'est un *king*! Je dirais même que c'est le *king* de la place! conclut-il en se tournant vers son voisin de casier qui rigole sous le regard des reporters pensant naïvement qu'il s'agit d'un simple mauvais jeu de mots avec les Kings de Los Angeles ayant repêché Riopel, un an plus tôt.

— Oh que non ! C'est lui le *king* de la place, riposte Félix en quittant son casier pour se rendre sous la douche, mort de rire. "*Étienne Lambert is the king of the place! He's the real king of the place! The only one!*", répète-t-il bien fort sans se retourner.

FélixRiopel @Rippy57

Champions de la coupe du Président. Beaucoup de respect pour les Wildcats. #MemorialCupNow #WeAreTheKingsOfThePlace

15
La Coupe Memorial

De l'avis de plusieurs observateurs, ce printemps, le niveau de compétition sera très relevé au tournoi de la Coupe Memorial. Certains analystes chevronnés parlent même d'une année d'exception avec la présence des monarques des trois ligues canadiennes. Si les champions de la saison régulière ont triomphé au Québec, il en va de même des Rockets de Kelowna de la Ligue junior de l'Ouest et des Spitfires de Windsor de la Ligue junior de l'Ontario, les clubs établis favoris avant le début des séries dans leur circuit respectif. Troisièmes au classement général de la LHJMQ, les Remparts de Québec complètent le quatuor et il ne faudrait surtout pas les compter pour battus d'avance.

Méthodique comme à son habitude, Richard Caisse a planifié une semaine aussi chargée que structurée avant le départ de Rimouski. Chaque matin à 9 h, un entraînement intense de 90 minutes attend ses hommes. Ce n'est rien de comparable avec la séance de torture précédant la finale de la LHJMQ, mais il s'assure néanmoins de faire abondamment suer ses gars chaque jour avant d'entreprendre l'étape la plus importante de la saison et de leur carrière.

En sortant de la patinoire, il les invite à des sessions de vidéo où il décortique le jeu des autres formations. Ses joueurs devront en connaître le plus possible sur les tendances de leurs rivaux. L'entraîneur-chef pousse l'exercice plus loin en leur résumant, match par match, le parcours des Rockets et des Spitfires au cours des dernières séries éliminatoires.

Ne négligeant aucun détail, il pousse même l'exercice jusqu'à leur expliquer sommairement l'historique de ces deux clubs qu'ils connaissent à peine. Si, au fil des ans, Rimouski a aligné de grandes vedettes qui ont plus tard brillé dans la LNH, il en va de même avec Kelowna et Windsor, qui possèdent un passé riche.

Des joueurs renommés comme Duncan Keith, Josh Gorges, Tyler Myers, Shea Weber, Jamie Benn et Sheldon Souray ont déjà endossé l'uniforme des Rockets, tandis que Jason Spezza, Ed Jovanovski, Tim Kerr, Adam Graves et Steve Ott ont porté les couleurs des Spitfires.

Hôtes du tournoi l'an passé à Kelowna, les Rockets partent favoris dans l'esprit de plusieurs experts, mais tous s'entendent aussi pour dire que le trophée demeure accessible à toutes les formations. Défaits en finale de la Coupe Memorial il y a douze mois à peine, les champions de la WHL misent sur treize joueurs qui sont de retour cette année. Le vendredi soir, ce sont d'ailleurs eux qui ont l'honneur d'amorcer la compétition, en levée de rideau au Colisée de Québec, alors qu'ils disputent la victoire aux Remparts. Inactifs depuis plus de deux semaines, les représentants de la Vieille Capitale concèdent le premier but, tôt en début de match, mais ils se ressaisissent rapidement pour tout de même s'incliner 4 à 3.

Le lendemain, c'est au tour des Spitfires et de l'Océanic de croiser le fer. Encouragés par plus de 300 partisans qui n'ont pas hésité à faire trois heures de route depuis Rimouski, les champions de la LHJMQ ne déçoivent pas. Les deux équipes se livrent une chaude bataille. Mais, avec une mince avance d'un but et moins de deux minutes à écouler au troisième vingt, la troupe de Richard Caisse profite d'une punition à Windsor pour porter un coup fatal en avantage numérique. Joueur clé de l'attaque à cinq, Bernier contrôle le jeu et échange la rondelle avec Chiasson quand il sert soudainement une passe transversale à Félix, posté à l'embouchure du filet, à la droite du gardien adverse.

Grâce à un tir aussi vif que précis, il ne laisse aucune chance au pauvre gardien Paolo Mancini et enregistre son premier but du tournoi. Les représentants du Québec l'emportent 5 à 3 et le numéro 57 de l'Océanic termine sa soirée de travail avec un but et une passe.

Comme il l'avait fait deux ans auparavant à Kitchener alors qu'il représentait la LHJMQ à la Coupe Memorial avec les Huskies, Caisse a amené sa troupe à l'écart. Cette fois, il a réquisitionné un motel près de Mont-Sainte-Anne, pas très loin des pistes de la station de ski alpin. Pendant que l'action tourne autour des équipes de Windsor et de Québec, il profite de cette journée pour que ses joueurs se relaxent et fassent le vide. Après avoir longuement hésité en raison des risques potentiels de blessures, il envoie quand même tout le monde faire du vélo de montagne sur les pentes et dans les chemins sinueux et accidentés qui serpentent à travers la forêt.

Le soir, au souper d'équipe, les visages rayonnants de ses joueurs lui confirment qu'il a misé gros mais qu'il a pris une excellente décision. Alors que les serveurs s'affairent à ramasser les assiettes et que le gérant de l'hôtel installe un écran géant dans la salle à manger afin de suivre l'action du match entre les Spitfires et les Remparts, Caisse estime que le moment est approprié pour parler à son équipe.

— C'était notre dernière journée de congé de l'année et c'était important qu'on s'amuse aujourd'hui. C'était bien mérité, comme c'est bien mérité d'être ici, à la Coupe Memorial, dit-il, debout au centre de la pièce. On est ici parce qu'on a du talent et parce qu'on a travaillé très fort toute l'année. On a bien amorcé le tournoi contre Windsor, mais ça ne veut plus rien dire aujourd'hui. Vous me connaissez, je pourrais vous parler jusqu'à minuit, mais y a plus grand-chose à ajouter. De toute façon, j'ai brûlé tous mes punchs depuis le début des séries ! conclut-il en riant lui-même de son gag. On va regarder le match entre Québec et Windsor, et si vous avez des questions ou des observations, intervenez dès que vous voyez le jeu pour qu'on en discute toute l'équipe ensemble.

Vingt-quatre heures après s'être avoués vaincus face à l'Océanic, les Spitfires baissent de nouveau l'échine. Cette fois, il n'y a aucun suspense. Les Remparts disposent aisément de leurs adversaires 4 à 1.

Après une journée de repos, l'Océanic va affronter les puissants Rockets de Kelowna. Si l'on se fie à ce qui est écrit dans les journaux, et à ce qui se raconte à la télé et à la radio, le gagnant de ce duel devrait logiquement obtenir un laissez-passer pour accéder à la finale après la conclusion du tournoi à la ronde.

Rimouski mise sur un joueur de premier plan en Cédrick Bernier, or c'est la même chose de l'autre côté avec le très prometteur défenseur Brian Tomlin, choix de première ronde du Wild, il y a deux ans. Capitaine de son équipe, il a lui aussi remporté la médaille d'or avec le Canada lors des derniers Championnats du monde junior en plus d'être également sélectionné sur l'équipe d'étoiles de la compétition. Véritable quart-arrière, Tomlin joue près de 12 minutes en première période. Chaque fois que Bernier saute sur la patinoire, le défenseur des Rockets fait de même. Son entraîneur l'utilise aussi en avantage numérique et lorsque son équipe se retrouve à court d'un homme.

À mi-chemin dans la rencontre, aucune formation n'est encore parvenue à s'inscrire au pointage. Malgré tout, le jeu est âprement disputé et chaque centimètre d'espace sur la patinoire est chèrement gagné. Las de voir Jimmy Lemay jouer sans émotion, Caisse le cloue au banc à compter du milieu de la deuxième période.

— Penosway! crie l'entraîneur-chef sans s'approcher de lui pour être certain que tous ses joueurs l'entendent, surtout Lemay. Voici la chance de ta vie! Quand le jeu va reprendre après la pause publicitaire, tu vas embarquer sur la deuxième ligne avec Rippy et Ozzy. Y a juste Riopel qui a le droit de patiner avec le *puck* pis de faire des jeux, précise-t-il en regardant les deux autres. Vous deux, vous frappez tout ce qui bouge, vous shootez pis vous prenez le filet d'assaut pour saisir les rebonds ou pour obstruer la vue du gardien. Je veux de l'énergie. Je veux que votre trio dérange. Si vous les fâchez autant que Lemay me fâche en ce moment, ça veut dire que vous allez faire de la maudite bonne job.

Utilisé épisodiquement depuis le début du tournoi, l'Amérindien saute sur la patinoire tel un enragé. Lambert et lui suivent les consignes à la lettre en donnant tout ce qu'ils ont dans le ventre. En fin d'engagement, le gardien Oliver Patterson vole même un but à Penosway en étirant la jambière gauche à la toute dernière seconde. C'est un arrêt très important, puisque après quarante minutes de jeu, aucune équipe n'a pu réussir à faire scintiller la lumière rouge.

En début de troisième, le cerbère des Rockets fait encore la différence quand il sort la mitaine pour frustrer Bernier qui, le bâton déjà dans les airs, pensait bien avoir marqué avec un foudroyant tir sur réception. Toutefois, deux minutes plus tard, Patterson ne peut absolument rien quand la recrue Charles-Benoît Giguère redirige un tir de la pointe décoché par Nicolas Chiasson. L'Océanic prend les devants 1 à 0 au plus grand plaisir de la foule qui se range évidemment derrière la formation du Québec. Ce but insuffle une impressionnante dose d'énergie à Rimouski qui répète les charges en zone adverse. Au milieu de la période, Félix double l'avance des siens avec un jeu presque similaire à celui qui a permis à son équipe d'ouvrir la marque. Campé devant le portier de Kelowna, il fait dévier un tir de Guillaume Gingras et lève les bras vers le ciel en regardant Patterson avec un sourire narquois.

Visiblement, le gros défenseur Kyle Foster n'apprécie guère. Choqué, il pousse Félix en lui appliquant un double-échec dans le dos. L'attaquant de l'Océanic n'a pas le temps de se relever que Penosway agrippe déjà fermement Foster par le chandail et l'entraîne vers le coin de la patinoire. Les deux belligérants laissent tomber leurs gants et s'ensuit un furieux combat, légèrement à l'avantage du joueur de Kelowna. Quand ils quittent le banc des punitions, il ne reste que quelques minutes à la joute. La troupe de Richard Caisse tient bon et l'emporte 2 à 0.

Vingt-quatre heures plus tard, l'Océanic dispute son dernier match du tournoi à la ronde. Un gain contre l'équipe hôtesse propulserait Rimouski directement en finale. Vaincus par les Rockets et victorieux face aux Spitfires, les Remparts pourraient peut-être éviter l'étape de la demi-finale en l'emportant. Mais ils devraient alors attendre le résultat de la dernière partie du tournoi à la ronde qui opposera Kelowna et Windsor, car trois formations pourraient hypothétiquement terminer la ronde avec une fiche identique de deux gains et un échec. Bref, en gagnant mercredi, l'équipe du Bas-du-Fleuve éviterait quelques calculs compliqués à tous les journalistes et amateurs de hockey!

Richard Caisse redoute beaucoup ce dernier affrontement. Après avoir chèrement vendu leur peau face aux Rockets lors du match d'ouverture pour ensuite battre aisément les Spitfires deux jours plus tard, les Remparts ne seront certes pas une proie facile.

Malgré son statut, Jimmy Lemay n'est pas de retour dans les bonnes grâces de l'entraîneur et il amorcera la rencontre sur le quatrième trio. Trop souvent invisible sur la patinoire, le vétéran de dix-neuf ans a maintes fois fait damner Caisse depuis son arrivée à la barre de l'Océanic. Contre Québec, le coach désire voir de l'émotion, de la hargne et de la fougue, et ce sont malheureusement trois qualités qui n'existent pas chez l'espoir des Sénateurs d'Ottawa.

Au début de la rencontre, certains analystes commentent cette décision en expliquant que Caisse se garde sans doute des munitions. Selon ce qu'on véhicule sur différents blogues de sport, Caisse espère probablement réussir à fouetter Lemay afin de le voir exploser si Rimouski l'emporte. Or, il n'en est rien. Caisse ne pense qu'à une seule chose:

enlever les honneurs de l'affrontement face aux Remparts.

Et l'entraîneur-chef de l'Océanic avait amplement raison de craindre la formation de la Vieille Capitale. Puisqu'il oppose les deux équipes de la LHJMQ, c'est de loin le duel le plus attendu depuis le début du tournoi, et plus de 15 000 spectateurs bruyants animent le spectacle à leur manière. Il a eu beau préparer ses joueurs du mieux qu'il le pouvait, en se retrouvant dans cet amphithéâtre survolté et rempli à pleine capacité, certains de ses gars paraissent pétrifiés. Lors des premières minutes de jeu, les Remparts sont partout sur la patinoire. Pendant que certains de ses coéquipiers semblent se demander ce qui se passe, le gardien Charles Delisle se démène comme un diable dans l'eau bénite devant le filet des Rimouskois. Après six minutes de jeu, Québec domine 9 à 1 au chapitre des tirs au but, et même si on est encore très tôt dans la partie, Caisse demande un temps d'arrêt.

— *Wake up,* les *boys!* On dirait des clients assis aux danseuses. Vous faites rien, pis vous regardez le show un peu gênés. Ciboire, réveillez-vous. Y a beau avoir 15 000 personnes dans la place, la patinoire mesure 200 pieds de long et 85 pieds de large comme partout ailleurs, crie-t-il, en furie. Pis à ma connaissance, du monde, y en avait aussi à Moncton. Riopel, Penosway pis Lambert, vous embarquez. Virez-moi ça à l'envers, provoquez quelque chose!

— Les danseuses... Tu parles de danseuses aux gars pour les motiver dans notre *game* la plus importante de l'année, lance l'adjoint Martin Rémillard à son patron avec un regard désabusé. J'ai l'impression que tu viens de gaspiller un *time out*, termine-t-il en secouant la tête.

— Au contraire, riposte promptement Caisse. Rendus où on est, ils savent ce qu'il faut faire. Toi et moi, on le sait qu'ils veulent gagner et qu'ils sont prêts à se défoncer, continue-t-il en tournant le regard vers la patinoire où l'action reprend. Fallait détendre l'atmosphère. Les gars étaient nerveux comme je les ai jamais vus avant. Un temps d'arrêt pour casser le momentum de Québec avec un message clair et une petite *joke* pour les détendre, c'est la meilleure recette.

Tandis que les deux hommes terminent ce bref échange philosophique, Félix suit à la lettre les consignes de son entraîneur. Non satisfait d'avoir déjà solidement frappé deux adversaires en moins de trente secondes, il termine sa présence sur la glace en se précipitant au filet où il espère saisir un retour de lancer. Posté devant le gardien des Remparts, l'attaquant de l'Océanic se fait pousser dans le dos par le défenseur Jasmin Plante. Piètre comédien, Félix feint un bond maladroit et chute sur le gardien Alex Mahoney qui, à son tour, tombe à la renverse. Avant même qu'il n'ait pensé à se relever, le numéro 57 est déjà pris à partie par trois rivaux. Peu soucieux qu'on lui passe un gant au visage, Penosway accroche deux joueurs pour essayer de libérer Félix, alors que Lambert s'amène en renfort en se lançant dans le tas, tel un enfant plongeant dans une piscine de balles.

Comme personne ne jette les gants, les trois attaquants de l'Océanic se retrouvent au cachot, punis deux minutes chacun pour rudesse, alors qu'un seul joueur des Remparts écope d'une infraction mineure. Rimouski devra se défendre à 3 contre 5 pour les deux prochaines minutes.

— Ça serait pas pire un petit *time out*, là, pour planifier notre désavantage numérique, murmure Rémillard, incapable de réprimer un sourire arrogant.

— Ta gueule, le clown, répond Caisse.

— Ben quoi, je voulais juste détendre l'atmosphère, ose l'adjoint, fier de sa remarque.

Même s'ils profitent d'une supériorité numérique de deux hommes, les joueurs de Québec ne parviennent pas à s'installer confortablement en territoire ennemi, l'Océanic repoussant chacune de leurs attaques. Rimouski tient le coup et écoule les deux minutes de punition sans rien concéder aux Remparts. Après le premier engagement, les deux formations rentrent au vestiaire avec une égalité de 0 à 0.

— Quarante minutes, les gars ! Quarante minutes, c'est tout ce qui nous sépare de la finale ! hurle Félix, alors que les joueurs de l'Océanic sont sur le point de retourner sur la patinoire pour le début de la deuxième période. J'y suis allé, en finale, y a deux ans à Kingston. J'ai failli gagner la coupe avec Rouyn-Noranda, pis on avait un club deux fois moins talentueux. C'est beau le tournoi à la ronde, mais ça ne vaut rien si on ne joue pas dimanche quand tous les *scouts* de la Ligue nationale pis tous les directeurs généraux vont être là, poursuit-il devant ses coéquipiers immobiles et silencieux. Faudrait être imbéciles en maudit pour se compliquer la vie, perdre aujourd'hui et être forcés de jouer la *game* de demi-finale, samedi. Faut se défoncer comme des malades et montrer à tout le monde qu'on est impitoyables. Faut se donner comme on s'est jamais donnés de notre vie. Y a pas une crisse de journée où je ne pense pas à la coupe que j'ai failli gagner y a deux ans. C'est rare d'avoir une deuxième chance, pis moi, je veux pas la rater. On a tous une raison de vouloir la gagner. Je vous jure que je vais faire tout ce que je peux pour pas rater mon coup. *Come on*, les gars ! crie-t-il de toutes ses forces en conclusion.

Transportés par le surprenant discours enflammé de Félix, les joueurs de l'Océanic amorcent le deuxième vingt en force. Dès la troisième minute de jeu, le capitaine Cédrick Bernier enfile le premier but de la rencontre à la suite d'un bel effort individuel qu'il couronne avec un tir précis se logeant entre les jambières de Mahoney.

— *Nice goal,* Ced ! dit Félix en lui donnant une tape sur l'épaule lorsqu'il revient au banc.

— Pas le choix de scorer pour montrer que c'est encore moi le capitaine de ce club-là ! *Nice speech*, tantôt. Les gars sont pompés ben raide. Depuis quand t'as des talents d'orateur, Rippy ?

— Depuis un gros dix minutes, répond Félix en riant.

Au milieu de l'engagement, il passe lui-même de la parole aux actes en réussissant un troisième but en autant de matchs quand il pousse une rondelle libre derrière le gardien des Remparts. Même Lemay met la main à la pâte. Avant la fin de la période, il enregistre son premier filet du tournoi à la suite d'une feinte magistrale, et Rimouski retraite au vestiaire avec une avance de 3 à 0 pour finalement l'emporter 5 à 1.

Le lendemain, dans le dernier match du tournoi à la ronde, Kelowna pulvérise Windsor 7 à 0. Battus pour une troisième fois, les Spitfires voient leur aventure se terminer abruptement. En vertu d'une fiche de deux victoires et une défaite, les Rockets retrouveront en demi-finale les Remparts, qui eux, se sont qualifiés pour ce match sans lendemain avec un dossier d'un gain et deux revers.

Le samedi soir, l'équipe hôtesse connaît un départ canon et s'inscrit à la marque dès la 32e seconde de jeu pour jeter l'hystérie dans la foule. Malheureusement pour les Remparts, il s'agira de leur seul filet de la rencontre. Les Rockets marquent trois buts sans réplique et en ajoutent même un autre dans une cage déserte, en fin de match, pour signer un triomphe de 4 à 1.

Comme bien des experts l'avaient prédit, Kelowna et Rimouski se retrouveront donc en finale le dimanche soir pour se disputer la Coupe Memorial. Et pour ce choc des titans, les avis sont partagés.

Inactifs depuis le mercredi soir, les joueurs de l'Océanic ont été conviés à de légers entraînements chaque jour. Caisse et ses troupiers ont également vu les Rockets charcuter les Spitfires et vaincre aisément les Remparts. Tout a été vu et revu. Tout a été dit et redit, enfin presque tout.

— Je sais que Rippy vous a parlé de Kingston, il y a deux ans, commence Caisse au centre du vestiaire, avant le match ultime. À moins d'un miracle, c'est clair qu'il avait raison, parce qu'il ne retournera pas à la Coupe Memorial l'an prochain. C'est le cas pour tout le monde ici. C'est le mien aussi, ajoute-t-il solennellement. J'achève dans le coaching. Il me reste quoi ? Trois ou quatre ans maximum ? Regardez-moi. J'ai donné ma vie au hockey. J'ai commencé comme vous autres. J'ai joué pee-wee, bantam, pis j'ai monté les échelons comme vous. Je suis devenu coach. J'ai tout donné au hockey, continue-t-il en regardant le plancher et en marquant une pause. Y a onze ans, ma femme a crissé le camp parce qu'elle était tannée de passer en deuxième. Vous le savez probablement pas, mais j'ai deux belles grandes filles, deux belles jumelles. Des grandes blondes qui s'appellent Lindsay et Jennifer. Ça fait trois ans que je les ai pas vues. Je le sais qu'elles m'aiment, pis je les aime aussi, mais elles vivent à Toledo, aux *States*. C'est loin en hostie de Rimouski, ça. Dans trois ou quatre ans, quand ça va être fini, je vais me retrouver tout seul dans ma maison avec leurs photos, pis des souvenirs de hockey. Mais savez-vous quoi ? demande-t-il en élevant la voix. Si c'était à refaire, je ferais encore les mêmes affaires. Je changerais rien de ma vie, parce que le résultat, c'est que je me retrouve ici, aujourd'hui, avec vous autres, pis on a une chance de gagner la Coupe Memorial. C'est pour vivre des moments comme ça que j'ai tout sacrifié et je regrette absolument rien. Vous autres, vous êtes jeunes. Vous avez la chance de gagner la Coupe Memorial tout de suite. Gagnez-la pas pour moi, gagnez-la pour vous. Saisissez votre chance. Attendez surtout pas d'approcher la soixantaine comme moi, parce que vous aurez peut-être plus jamais une autre chance.

— *Way to go*, coach ! beugle Bernier en se levant d'un trait. *Let's do it, boys !*

Tel qu'anticipé par les tous les observateurs, les deux clubs se livrent une authentique guerre de tranchées. Avec cinq minutes à écouler au cadran en première, le capitaine des Rockets, Brian Tomlin, sonne la charge en procurant les devants aux siens avec un boulet décoché de la ligne bleue. Mais 44 secondes plus tard, Félix y va d'un inoffensif tir du revers qui dévie sur le patin de Loïc Penosway et, après consultation, le but est accordé. C'est l'égalité, 1 à 1, après vingt minutes de jeu.

Le second tiers se veut l'affaire des deux gardiens. Charles Delisle et Oliver Patterson multiplient les acrobaties devant leur filet respectif pour frustrer l'adversaire, et après quarante minutes de jeu, l'égalité persiste au Colisée de Québec. Comme ce fut le cas au premier entracte, c'est de nouveau le silence total dans le vestiaire de l'Océanic, entre la deuxième et la troisième période.

De retour sur la patinoire, Rimouski force le jeu et applique énormément de pression sur la défensive des Rockets. Charles-Benoît Giguère coupe une sortie en territoire adverse et décampe vers le filet. Dennis Campbell, qui avait pour mission de le surveiller, n'a d'autre choix que de l'accrocher. Les représentants de la LHJMQ vont profiter de la première supériorité numérique de la soirée.

— Penosway, t'embarques sur le *power play*! Tu vas aller te stationner dans la face de Patterson pis tu bouges pas de là, commande Caisse après avoir demandé un temps d'arrêt pour déployer sa stratégie. Chiasson, tu pognes la bleue avec Riopel pis tu t'assures de jouer *safe*. Bernier, tu prends le centre pis Lemay, tu vas à l'aile gauche.

Tout le monde prend sa position en suivant les directives de l'entraîneur-chef. Chassé de la mise en jeu par le juge de ligne, Bernier cède sa place à Félix. Comme il le fait souvent, l'attaquant de l'Océanic tente de bloquer son rival en avançant rapidement son patin droit au centre en pivotant. La stratégie échoue et Kelowna dégage son territoire.

Chiasson récupère dans sa zone, tente une montée qui échoue aussi. Trente secondes d'égrenées au cadran et tout est à recommencer derrière le but de Rimouski. Félix saisit la rondelle. Il patine doucement, cherchant une option pour effectuer une passe, puis accélère quand il trouve une brèche sur le flanc droit. Parvenu chez l'ennemi, il freine une fois passée la ligne bleue. Posté dans le coin droit, Bernier lève son bâton pour signaler qu'il est libre pour recevoir une passe. Félix se tourne vers lui, feint de lui refiler la rondelle et vise Lemay, dégagé sur la gauche, à la hauteur du cercle des mises en jeu. Le mal-aimé de l'Océanic décoche un violent tir sur réception. Vif et agile, Patterson se déplace tout de suite sur sa droite et il bloque le lancer avec son épaule droite. La rondelle virevolte dans les airs et avant même qu'elle ne touche la glace, Penosway la frappe au vol. Patterson réagit de nouveau et stoppe le disque avec son bouclier.

Rudement frappé, le gros Amérindien croule sur la patinoire. Étendu sur la glace, il aperçoit l'objet de convoitise abandonné près de la jambière droite du gardien. Tenant son bâton d'une seule main, il parvient néanmoins à frapper le disque pour le pousser lentement dans le fond de la cage. L'Océanic prend les devants grâce à son deuxième but de la partie.

Pendant que ses coéquipiers se ruent sur lui pour le féliciter, la foule, elle, l'acclame déjà. Timidement, Penosway retourne au banc en souriant et Félix bifurque vers l'arbitre.

— Hey, *ref*, donne-moi la *puck* s'il te plaît, quémande-t-il gentiment.

— Pourquoi ? C'est pas son premier but en carrière ou à la Coupe Memorial ?

— Garde-ça pour toi, mais c'est la *puck* du but gagnant, pis je veux la garder pour lui, s'il te plaît. C'est sûr qu'on donnera pas d'autre but à Kelowna !

Sept minutes plus tard, Cédrick Bernier intercepte une passe transversale dans sa zone, déguerpit vers le territoire des Rockets, déculotte le défenseur Kyle Foster d'une feinte étourdissante et bat Patterson avec un tir du revers dans la lucarne, du côté de la mitaine. Avec ce but, Rimouski se forge une avance de 3 à 1.

Le reste de la période appartient au gardien Delisle qui se distingue particulièrement avec deux arrêts spectaculaires dans la dernière minute de jeu, alors que Kelowna attaque à six joueurs. Le temps semble s'écouler au ralenti et la rondelle refuse de sortir du territoire de la formation québécoise. La sirène résonne finalement dans le vieux Colisée pour annoncer la fin du match. Pour la première fois de son histoire, l'Océanic remporte la Coupe Memorial.

Pendant que dans la foule, les gens chantent, crient et applaudissent chaleureusement, tous les joueurs se précipitent vers Delisle en se débarrassant de leur casque et de leurs gants. Toujours assis au banc, Penosway n'a pas bougé. En larmes, il pleure en serrant la rondelle de son deuxième but comme s'il s'agissait du trésor le plus précieux au monde. Pour lui, rien n'a plus de signification que ce bout de caoutchouc noir. Trop ému pour se lever, il revoit les derniers mois de sa vie en sanglotant. C'est plus que la Coupe Memorial qu'il vient de gagner. Désormais, plus jamais rien ne sera pareil pour lui.

Plus jamais rien ne sera pareil pour Richard Caisse.

Comme plus jamais rien ne sera pareil pour Félix et les autres.

Quelques instants plus tard, quand son coéquipier Nicolas Chiasson lui tend la Coupe Memorial,

Félix la porte à son tour à bout de bras. En patinant avec le cortège, plutôt que de savourer le moment, il cherche sa mère et sa sœur dans les gradins. Il les repère presque tout de suite. Elles sont là toutes les deux à pleurer à chaudes larmes, alors que ses oncles et ses tantes profitent de son passage devant leur section pour le photographier. Il aperçoit aussi Carl, debout avec Cynthia, qui le salue et crie en sa direction. Félix patine avec la coupe et il se surprend à penser que Carl a drôlement raison. Jamais Cynthia ne lui a semblé aussi jolie, et voir son meilleur ami aussi heureux le remplit de joie. Pendant cette courte période d'une trentaine de secondes, il a aussi le temps de se dire qu'en ce moment précis, il est certainement l'homme le plus comblé et le plus heureux de la planète.

— Ça fait, là, Rippy! crie Lambert. Tu l'apporteras pas chez vous, la coupe! continue-t-il en riant.

— Tu devrais te la faire tatouer! suggère Félix.

— C'est déjà dans mes plans!

Les yeux pleins d'eau, Félix refile le trophée à son coéquipier de trio, qui à son tour, se met à beugler comme un enragé, alors que le groupe de joueurs passe devant un attroupement de cameramen, positionnés au banc des Rockets.

— Y a connu de maudites bonnes séries, le petit Lambert.

Félix se retourne. C'est Christian Champagne, son agent.

— Qu'est-ce que tu fais ici sur la patinoire? demande Félix.

— Regarde ça! J'ai une accréditation de journaliste aujourd'hui, montre-t-il en rigolant. J'étais l'invité de la télévision au deuxième entracte, pis j'ai gardé ma passe pour descendre sur la glace… au cas où! Faut que je parte mais je voulais te féliciter avant de m'en aller. Je suis vraiment fier de toi, l'*kid*, dit-il avant de le serrer très fort dans ses bras.

— Merci, Chris! Merci d'être là pour moi. Ça serait pas pareil avec un autre.

— Exagère pas! Je te téléphone demain, pis sois prudent avec l'alcool si vous fêtez. Essayez de pas détruire la coupe pour nous faire passer pour des cabochons à la grandeur du pays, comme les joueurs des Cataractes, y a une couple d'années!

— Tu devrais rester pour le party pis venir à Rimouski pour la parade, répond Félix alors que son agent commence à s'éloigner.

— J'ai pas le temps. Y a un certain Willy Phillips qui m'attend pour aller manger! Pis dis à ton chum l'Indien qu'il me téléphone demain matin à neuf heures. Les Devils aimeraient ça l'inviter à leur camp d'entraînement… J'pense que ça va lui prendre un agent très bientôt!

À suivre…

Note aux lecteurs

Les personnages ainsi que les événements de ce roman ne sont que pure fiction. Seuls les noms des joueurs de la LNH sont réels, tout comme celui du commissaire de la LHJMQ, mais leur association à cette œuvre demeure aussi de la fiction. Les ligues de hockey, les villes, les amphithéâtres et la plupart des établissements commerciaux qui sont cités existent réellement. Toute ressemblance avec qui que ce soit s'avère une coïncidence.

Le personnage de Patrick Fréchette a été proposé par Benoît Fréchette de Saint-Zéphirin-de-Courval dans le cadre du concours *Inventez un personnage* qui a eu lieu sur le blogue de la série.

Table des matières

DU MÊME AUTEUR

La LNH, un rêve possible – Tome 1 : Les premiers pas de huit hockeyeurs professionnels québécois, Montréal, Hurtubise, 2008.

La LNH, un rêve possible – Tome 2 : Rêves d'ici et d'ailleurs, Montréal, Hurtubise, 2011.

C'est la faute à… – Tome 1 : C'est la faute à Ovechkin, Montréal, Hurtubise, 2012.

C'est la faute à… – Tome 2 : C'est la faute à Mario Lemieux, Montréal, Hurtubise, 2013.

C'est la faute à… – Tome 3 : C'est la faute à Carey Price, Montréal, Hurtubise, 2013.

Suivez-nous

Réimprimé en décembre 2014
sur les presses de Marquis-Gagné
Louiseville, Québec